KALL

I0830699

Een simpele misdaad

Theodor Kallifatides

Een simpele misdaad

Uit het Zweeds vertaald door Lia van Strien

UITGEVERIJ DE GEUS

Oorspronkelijke titel *Ett enkelt brott*, verschenen bij
Albert Bonniers Förlag
Oorspronkelijke tekst © Theodor Kallifatides, 2000
Nederlandse vertaling © Lia van Strien en Uitgeverij De Geus bv,
Breda 2003
Omslagontwerp Uitgeverij De Geus bv
Omslagillustratie © Guido Bertram/Stone/Getty Images
Foto auteur © Ulla Montan
Drukkerij Haasbeek bv, Alphen a/d Rijn
ISBN 90 445 0267 0
NUR 331, 305

Verspreiding in België via Libridis nv, Industriepark-Noord 5a,
9100 Sint-Niklaas

Voor Johanna

Waarom zou men zich verschuilen achter woorden,
wanneer men zich achter daden kan verschuilen?
Waarom zou men zich achter anderen verschuilen,
wanneer men zich achter zichzelf kan verschuilen?

– Vader Theodoricus Ravenna, 1438-1471

I

Het treuren van gelukkige mensen is mooi.

De gedachte verraste haar, alsof ze van iemand anders was.

Het was zaterdag 9 mei, haar drieëndertigste verjaardag. Kristina Vendel zat op de achterste rij in de kerk van Ekerö te luisteren naar Felix Mendelssohns strijkoctet; drie violen, drie altviolen, twee celli. Drie mannen en vijf vrouwen, allemaal jong, met uitzondering van de eerste violist die de vijfendertig gepasseerd leek te zijn. Tegen de veertig, schatte ze, maar de extreme concentratie die hij uitstraalde, plaatste hem in een eigen tijd, gaf hem een eigen ouderdom.

Hij genoot ervan de blikken van de jongere musici op zich gericht te hebben, hij dirigeerde hen met lichte hoofdknikjes en beloonde hen met korte, snelle glimlachjes. Hij was vooral attent voor de eerste celliste, een vrouw van een jaar of vijfentwintig met donker haar, die recht tegenover hem zat. Ze droeg een lange, zwarte jurk, die de cello tussen haar dijen mat deed glanzen als een dolfijn, om het daar nu maar bij te laten.

Kristina had het vermoeden dat er onder de toehoorders geen man was die niet zijn arm zou geven om van plaats te mogen ruilen met de cello. Zelf zou ze haar arm geven om van plaats te mogen ruilen met de vrouw. De eerste violist keek haar aan alsof ze zojuist hadden gevreeën of dat binnen afzienbare tijd van plan waren: ze wisselden lange blikken uit, beladen met verbondenheid en diepe, warme gevoelens, ze glimlachten naar elkaar met een intimiteit die je alleen kent na een nacht met elkaar te hebben doorgebracht.

In het programmaboekje stond dat Mendelssohn goed bedeeld was. Hij was zoon van rijke en liefhebbende ouders die hem stimuleerden zich aan de muziek te wijden. Ze steunden hem, stuurden hem naar de beste scholen, hij werd onder de hoede genomen van de beste muziekleraren en hij stelde hen niet teleur. Hij schreef mooie muziek, heel mooie muziek, die er deze avond in de maand mei voor zorgde dat acht jonge musici en honderd toehoorders zich verenigden in een onzichtbare slangenkuil van gedachteflarden, halfgesloten oogleden en vloeiende lusten.

Kristina sloot haar ogen. De zachtmoedige samenklanken van de muziek deden haar treuren over het armzalige, liefdeloze leven dat ze leefde. Hoelang was het geleden dat Johan en zij elkaar zo in de ogen hadden gekeken?

Waar was de liefde gebleven? Mendelssohn vroeg het zich ook af, maar zijn treuren was mooi. Haar treuren was dat niet.

Johan had hier moeten zijn, naast haar. Hij had de kaartjes voor het concert gekocht. Het was zijn cadeau voor haar verjaardag. En toch... een ruzie om iets totaal onbenulligs deed hun plannen teniet. Hij verdween razend, zonder te zeggen waarheen. Maar dat was niet nodig. Ze had zo haar vermoedens. Ze was een poosje thuisgebleven, had geprobeerd zich met een of ander klusje bezig te houden, maar vanbinnen raasde de afgebroken ruzie verder. Weerwoorden die ze zou hebben willen uiten, en weerwoorden waarvan ze spijt had dat ze die had geuit. Ze slaagde er niet in zich te concentreren en gaf het uiteindelijk op.

Hoe onbenullig was hun ruzie eigenlijk? Hoe onbenullig is het wanneer je op een ochtend wakker wordt en ontdekt dat de liefde een ander adres heeft gevonden?

Daar ging de ruzie over. Zij wist het en hij wist het ook. Maar toch... ze zouden elkaar moeten troosten voor hun gezamenlijke verlies, het was niet nodig de ander de rug toe te keren. Een snelle liefkozing over de wang, een glimlach zou voldoende zijn geweest, maar ze waren er niet langer toe in staat.

Dus stapte ze in haar rammelende Fiat Uno, reed naar Slagsta en nam de veerboot over de Vårbyfjärden naar het eiland Ekerö, en verder naar het landgoed Asknäs, waar ze zich in de witgekalkte kerk probeerde te troosten met muziek. Dat was altijd haar troost geweest. Iets anders had ze niet. Ze dronk niet, was gestopt met roken, kon zich niet troosten met chocola omdat ze daar puistjes van kreeg en glossy damestijdschriften maakten haar neerslachtig.

Kristina Vendel was onlangs benoemd tot hoofd van afdeling 6 van de politie in Huddinge; dat wil zeggen de afdeling die zich bezighield met geweldsdelicten en 'vieze zaakjes', zoals ze in het korps zeiden: prostitutie, seksclubs, pedofielen en dergelijke.

Maar weinigen zouden dat hebben geraden, want ze was niet alleen jong, drieëndertig jaar, maar zag er zelfs nog jonger uit ook. Ze was niet wat je noemt een mooie vrouw, maar ze was aanwezig als een rond afgeslepen steen aan de oever van een rivier. Elke man die tijdens de nietsontziende carrièrejacht zijn instincten niet was kwijtgeraakt, zag haar. Ze hoefde niet tot toenadering uit te nodigen. Niets leek vanzelfsprekender dan in haar buurt te zijn.

Ze had kortgeknipt, blond haar, dat als de stekels van een egel alle kanten opstond, waardoor ze een voortdurende verbazing leek uit te drukken die op haar beurt weer botste met haar rechte houding: ze zag er gewoonweg uit als een uitroepteken. Haar ogen waren grijsgroen met een vleugje geel, haar tanden klein en regelmatig en ze had een glimlach als een dronken kat. Ooit had Johan dat allemaal gezien, maar om de een of andere reden zag hij het niet langer.

Waar was de liefde gebleven? klaagde de viool, en de cello antwoordde dat je dat maar beter niet kunt weten.

Het applaus haalde haar uit haar somberheid. De jonge musici bedankten het publiek met verlegen glimlachjes en buigingen en gingen af, maar het publiek was nog niet tevreden en riep hen meer dan eens terug. De laatste keer bleven de violist en de jonge celliste alleen op het podium achter. Ze stonden niet erg dicht naast elkaar, er zat minstens twintig centimeter tussen, twintig centimeters die in beslag werden genomen door het licht dat door de ramen viel en dat tussen hen in een baan vormde waarin stofdeeltjes rondwervelden. Toch was het duidelijk dat deze twee mensen bij elkaar hoorden.

De mensen begonnen zich naar de uitgang te bewegen, maar Kristina bleef enthousiast staan applaudisseren, zo enthousiast dat de violist uiteindelijk gedwongen was naar haar te kijken en hun ogen elkaar ontmoetten. Ze wist meteen dat ze die blik niet zou vergeten, niet omdat hij zo verleidelijk was, maar omdat hij haar daarentegen juist bang maakte. Het was een volkomen zakelijke blik, alsof ze een vlek op zijn smoking was. Hoe kon een man die zo mooi speelde zo'n oogopslag hebben?

Ze haastte zich naar buiten om in de even verderop gelegen pastorie een kop koffie te gaan drinken.

Een zwoele bries uit het noordwesten baande zich een weg door de avond. Van beneden op het water klonk het geluid van de motor van een boot en het gelach van een vrouw.

Kristina zuchtte diep, alsof ze haar adem had ingehouden, wat ook zo was. Ze vergat soms te ademen, iets in haar stokte, zoals wanneer je in een kamer staat en vergeten bent waarom je daarheen bent gelopen. Het is verwarrend om te leven, je wordt duizelig van al het moois wat je omringt en wat ieder moment kapot dreigt te worden gescheurd door een reeds lang vergeten landmijn. Als het gelach van de vrouw dat ze zojuist had gehoord bijvoorbeeld een schreeuw was geweest, een hulpgeroep? Met welke woorden had ze dat dan kunnen schetsen? De bries vanaf het meer Mälaren zou dezelfde zijn geweest en toch ook weer niet.

Het enige wat ons van dienst is, is volmaakte nederigheid.

Alweer een gedachte die haar verraste, niet vanwege de originaliteit ervan, maar juist om het tegendeel, omdat ze zo gewoon was. Ze kreeg het gevoel tussen citaten te leven, tussen kant-en-klare zinnen die haar spiegelden, die haar beeltenis en haar ziel stalen. O God! Als ik toch één minuut echt kon leven, bad ze stil.

Ze liep doelloos rond tussen de graven op het kerkhof.

Sommige waren heel oud, het gras groeide tussen de barsten in de grafstenen; het waren afdelingshoofden en grossiers en predikanten, die deze wereld hadden verlaten in de volle overtuiging dat hun een andere en betere wachtte. Er lag een soort optimisme over de oudere graven dat bij de nieuwere helemaal afwezig was.

De namen zeiden haar niets, tot ze plotseling iets ongebruikelijks zag. Een eenvoudig kruis, een eenvoudige grafsteen met het portret van de overledene daarin gebeiteld. De letters waren cyrillisch, maar ze kon niet zeggen welke taal het was. Er stond geen achternaam, alleen de voornaam: Irina, en verder de twee data waartussen Irina's korte leven zich had afgespeeld. Ze was ruim drieëndertig jaar geworden, net zo oud als Kristina nu.

Wie was deze Irina? Ze maakte op het eerste gezicht een vastberaden, bijna koppige indruk. Ongetwijfeld een vakvrouw, vermoedde Kristina, maar welk beroep?

De blik van de dode had iets raadselachtigs, een muur die ze tussen zichzelf en de rest van de wereld had opgeworpen. Dat had ze nu niet langer nodig. Niemand kon haar nu nog kwetsen.

'Bah! Ik vind het maar macaber!'

Kristina was duidelijk niet de enige die naar het portret had staan kijken. Een oudere vrouw stond schuin achter haar.

'Zo doen we dat niet in dit land!' ging ze verder met weerstand in haar stem, alsof ze bang was te worden tegengesproken. 'Wat is dat trouwens voor taal? Wat is dat voor land? Wat is dat voor raar kruis?'

Ze bedoelde het niet zo kwaad als het klonk. Ze was gewoon te oud voor al het nieuwe dat over haar heen werd gestrooid.

'De doden hebben geen land', probeerde Kristina met een welwillende glimlach, wat de oudere dame in een meegaander humeur bracht.

'Hoe het ook zij, het moet een mooi meisje geweest zijn!' besloot ze en ze liep met de korte, snelle pasjes van een koorddanser verder naar de lokkende koffie en de rabarbertaart, die de kostersvrouw zelf had gebakken om de krappe financiën van de gemeente te ontzien. Het was gedaan met de tijd dat de dominee trakteerde op koffie met kaneelbroodjes, men was bang dat de aanstaande scheiding van kerk en staat diepe gaten in de kas zou slaan en al is er veel te zeggen over God, evenveel macht als de minister van Financiën heeft Hij nooit gehad.

Op hetzelfde moment dat Kristina terugliep naar de kerk om de koster te vragen wat hij over het ongewone graf wist, gebeurden er twee dingen. Ten eerste begon het te regenen. Ten tweede ging haar mobiele telefoon. Ze rende naar haar auto om rustig te kunnen praten.

Het was Thomas Roth, haar naaste medewerker. Hij werd ook wel de Leeuwerik genoemd, omdat hij altijd degene was die met nieuws kwam. Op de een of andere merkwaardige manier lukte het hem altijd om er als eerste achter te komen wat er was gebeurd. Het was bovendien altijd slecht nieuws. Ook deze keer.

'Het spijt me chef, ik hoop niet dat ik je in iets belangrijks stoor.' Door zijn nasale stem kreeg alles wat hij zei een ironische bijklank.

Kristina voelde een vage irritatie, maar slikte die in. 'Ter zake.'

Het was niet eenvoudig vrouw en chef te zijn, ze had de

balans tussen het persoonlijke en het beroepsmatige nog niet gevonden. Aan de stilte die volgde, merkte ze dat Thomas Roth gepikeerd was.

'Het spijt me. Ik zat aan iets heel anders te denken.'

Als hij al wrok voelde, dan liet hij dat niet merken. 'Ik begrijp het, het geeft niet. Ik zou niet bellen als het niet belangrijk was.'

'Wat is er?'

'We hebben een lijk om over na te denken.'

'Man of vrouw?'

'Dat weten we niet.'

'Hoe bedoel je?'

'Als je hierheen komt, zul je het begrijpen.'

'Oké. Waar moet ik heen?'

'Waar ben je nu?'

'Ekerö.'

'Perfect. Dan hoef je alleen maar de veerboot naar de overkant te nemen. Je vindt ons bij de brug op de weg naar Botkyrka. Aan je rechterhand. Je kunt bij het café links van de weg parkeren.'

'Ik kom eraan. Ik ben er over ongeveer een halfuur.'

'Oké. Tot zo.'

Het is vast en zeker een vrouw, dacht ze voor ze op weg ging. Het was opgehouden met regenen, net zo plotseling als het was begonnen.

2

Veel is voor moslims verboden, vissen echter niet. Ismail Lazarevits hield van zijn neefje Kemal. Hij had hem eigenhandig gered uit het brandende huis in het dorp buiten Srebrenica tijdens het hevige Servische offensief. Het was hem niet gelukt om zijn zus te redden. De vader van de jongen was al eerder verdwenen en ze hadden geen flauw idee waar hij zich bevond.

Er zat niets anders op dan hun heil elders te zoeken. Het werd Zweden, al had het net zo goed Duitsland kunnen zijn. Maar het werd Zweden, meer precies de gemeente Botkyrka, onder de rook van Stockholm, waar al een groot aantal andere Bosniërs woonde. Zo kwam het dat oom Ismail en neef Kemal op deze zaterdagmiddag in mei zij aan zij zaten te hengelen in het water van de Vårbyfjärden. Ze wisten dat ze er niet op hoefden te rekenen iets te vangen, maar alles was beter dan de sleur in het tweekamerappartementje in de buitenwijk Fittja, waar de jongeman en de kleine jongen al veel te veel uren hadden doorgebracht in de doelloze apathie, die slechts tijdelijk was onderbroken op de avond dat ze de verdwenen vader van de jongen op tv hadden gezien. Helaas was het geen goed nieuws. Hij was geïnterneerd in een berucht kamp, maar hij leefde.

Ismail dacht er niet over om op te geven. Hij had zijn neefje eenmaal gered, nu zou hij hem opnieuw redden. De jongen werd iedere nacht een paar keer wakker, huilend en badend in het koude zweet. Ismail zat altijd klaar met een verkoelende handdoek en met zijn grote warme handen, waarvan hij niet langer wist wat hij met ze aan moest.

In Srebrenica was hij schoenmaker geweest. Dat zou hij weer kunnen worden. Hij was ervan overtuigd dat het uiteindelijk zou lukken. Maar nu ging het erom voor de jongen te zorgen, erop toe te zien dat de wonden heelden en dat hij weer gezond en sterk werd.

Kemal was nog maar elf jaar oud. Toch moest hij op zijn beurt voor zijn oom zorgen, omdat die zoveel moeite had Zweeds te leren, terwijl de jongen de taal gewoon leek in te ademen. Bij iedere inademing een nieuw woord.

'Je hebt een goed hoofd, Kemal!' prees zijn oom, wiens eigen hoofd een kerkhof was geworden.

'Dat heb ik vast van mama', zei de jongen om hem op te beuren.

Er woei een zwakke noordwestenwind, die in het nauw tussen Vårby en Fittja nieuwe krachten opdeed, alsof hij die nodig had om erdoorheen te komen. Het meer kabbelde bedaard, als een boer die na een dag werken moe op weg is naar huis. Ze hadden nog niets gevangen, maar dat maakte niets uit. Ze zaten er niet om vissen te vangen. Ze zaten daar om een illusie van geborgenheid en rust te creëren. Ze zaten daar omdat ze eigenwijs volhielden te doen alsof het leven was zoals het altijd was geweest.

Kemal zag de zwarte plastic zak het eerst. Hij zou dat niet hebben gedaan als hij geen elfjarig jongetje was geweest. Als je elf jaar bent en een jongen, dan zit je nooit lang op een en dezelfde plek stil. Dus was hij beweeglijk en klom hij onder angstige blikken van zijn oom in de oude wilg die over het water hing alsof hij wilde drinken.

'Voorzichtig! Niet te ver van de stam gaan.'

Maar wat is nou de lol van het klimmen als je niet tot het uiterste puntje mag? Dan is er niets meer aan als je elf jaar bent en een jongetje. En dus klauterde hij verder tot hij als een vogel op het uiterste puntje van de tak zat. Op dat moment zag hij de plastic zak en riep zijn oom.

Ismails eerste impuls was om weg te rennen en de jongen met zich mee te nemen. Hier wilde hij niet in betrokken raken. Een zwarte plastic zak in een meer betekent zelden iets goeds.

Aan de andere kant, als hij weg zou rennen, kon dat ook slechter voor hen uitpakken. Er waren velen die hen hadden gezien. Ze konden het best de politie bellen. Maar je kunt de politie toch niet bellen alleen maar omdat je een zwarte plastic zak in het meer hebt zien liggen?

Met behulp van een droge tak trokken ze de plastic zak dichterbij. Hij was duidelijk niet leeg. Ze durfden niet nauwkeuriger te kijken.

'Stel je voor dat er veel geld in zit', fluisterde Kemal.

'Dat denk ik niet', antwoordde Ismail.

Ze liepen onder de brug door naar het café aan de andere kant om te bellen. Kemal deed het woord en kreeg contact met Maria Valetieri, een jonge speurder die in eerste instantie dacht dat de jongen een grap met haar uithaalde.

'Hoe oud ben je?'

'Dertien', loog hij.

Waarom liegen jongetjes over hun leeftijd?

'Blijf daar op ons wachten!'

Ze noteerde voor de zekerheid zijn naam en adres en Kemal was aangenaam verrast dat hij zijn naam niet een paar keer hoefde te herhalen. Maria Valetieri leek gewend te zijn aan moeilijke namen; ze had er zelf een.

Twee minuten later zat ze in de politiewagen, een tien jaar oude Volvo die altijd haperde, maar Huddinge was een armlastige gemeente en van het vernieuwen van het wagenpark was geen sprake. De agenten maakten er onderling grapjes over: 'Waarom moeten we altijd met zijn tweeën in een auto?' 'Zodat de een kan trekken en de ander duwen.'

Dat was deze keer niet nodig. De Volvo startte meteen.

'Rij jij?' vroeg Maria gewoontegetrouw aan haar collega Östen Nilsson, omdat hij toch altijd degene was die reed en dat nu ook zou doen.

Er zijn twee soorten beslissingen, dacht ze, terwijl ze Östens handen op het stuur zag. Het schuine licht viel erop, de haartjes op de vingerkootjes waren zo dun dat ze onwerkelijk leken. Je kunt besluiten om iets te doen. Dat zijn de eenvoudige beslissingen. En je kunt besluiten om niets te doen. Die zijn moeilijker.

Ze wilde deze handen op haar lichaam voelen. Haar echtelijke bed leek al geruime tijd op een verlaten plein en iedere avond vroeg ze zich af hoe het mogelijk was dat twee mensen elkaar op zo'n klein oppervlak konden ontwijken. Het was mogelijk.

Ze diepte een stukje kauwgom op uit haar zak en kauwde fanatiek, alsof haar leven ervan afhing. Wat ook zo was. Wat zou Östen doen als ze heel resoluut haar hand gewoon tussen zijn benen zou leggen? De gedachte beangstigde haar, omdat het ineens zo gemakkelijk leek om het te doen. Ze draaide het raampje open in de hoop dat een windvlaag haar gedachten zou opklaren. Het lukte niet. Ze deed haar armen over elkaar alsof ze haar lichaam daarmee strak in de teugels wilde houden.

Op dat moment zag ze Kemal naar hen zwaaien.

Östen Nilsson remde zachtjes af. Alles wat deze man deed, deed hij zacht. Hij had vaag iets vrouwelijks over zich, ondanks de brede schouders en de gespierde bovenarmen. Maria vroeg zich af of het niet juist dat was wat haar zo in hem aantrok.

Bovendien was hij een ervaren politieman. Hij had niet meer dan een snelle blik op de plastic zak nodig om zeker te zijn van zijn zaak. 'Er zit een lichaam in die zak.'

Maria werd bij de gedachte alleen al misselijk. 'Hoe kun je daar zo zeker van zijn?'

Hij keek haar aan zonder een antwoord te geven.

Ze liepen erop af. Kemal en Ismail volgden. Het water klotste om de plastic zak.

'Zullen we eens gaan kijken?'

Östen was al bezig met het antwoord en lag op zijn buik om met een tak de zak naar de oever te trekken. 'Jullie hoeven hier niet te blijven staan!'

Ze gehoorzaamden hem dankbaar. Maria liep terug naar de auto. Ismail en Kemal kwamen achter haar aan.

Östen Nilsson wist niet precies wat hij moest doen. Als hij de plastic zak zou openmaken, bestond het risico dat hij belangrijke sporen wiste, maar als hij het niet deed, had hij niets wezenlijks te rapporteren. Thomas, de dienstdoende commandant, zou hem misschien uitfoeteren. Daar had hij geen zin in.

Hij besloot tot een compromis. Hij trok de zak nog

dichterbij totdat deze stevig op de ondiepe bodem aan de oever lag. Hij zag dat er een touw, voorzien van twee metalen lussen, omheen was gewikkeld. Hij wist niet wat dat zou kunnen zijn.

Hij had zoals gezegd het vermoeden dat er een lichaam in de zak zat. Maar kon hij daar zeker van zijn als hij het niet had gezien?

Hij riep naar Maria of ze met de gereedschapskist kon komen. Ismail bood aan hem voor haar te brengen, een aanbod dat ze dankbaar aannam.

Dus uiteindelijk waren het Östen Nilsson en Ismail Lazarevits die een snee met het dolkmes maakten. Het eerste dat ze zagen was een nieuwe laag plastic. Pas na die laag zagen ze de arm van een mens.

Het is niet gemakkelijk te omschrijven wat je voelt wanneer je zoiets voor je ziet. Schrik? Walging? Mede-lijden met het slachtoffer? Afschuw van de dader?

Ismail keek weg. Östen slikte diep en bedekte het gat weer. Daarna belde hij Thomas, die op zijn beurt Kristina Vendel belde.

Je zou kunnen denken dat Östen rustig was. Dat was hij niet. Hij had zijn moeder dood in het water zien liggen. Of het zelfmoord, een ongeluk of moord was geweest, was nooit opgehelderd. Hij was tien jaar. Zijn vader had hen net verlaten. Östen had nooit begrepen waarom, al had het hele dorp het over een passie. 'Wat is dat, een passie?' had hij zijn moeder gevraagd, en misschien was het levenloze lichaam in de golven wel haar antwoord geweest. Nu was hij dertig en wist wat een passie was.

Hij hoopte dat Thomas er snel zou zijn. Hij wist dat hij

niet de juiste man was om deze situatie het hoofd te bieden. Maria misschien? Zou hij meer op haar moeten vertrouwen?

Ze stond al naast hem. Ze wees naar de plastic zak. 'Er zijn er niet veel die zo'n knoop kunnen leggen.'

Hij vond het voor dat moment een rare uitspraak.

Even later arriveerde Thomas met twee agenten.

3

Kristina Vendel dwong de zwakke motor van de Fiat tot meer dan hij kon hebben. Eigenlijk hoefde ze zich niet te haasten. Het lijk lag waar het lag. Met een dode weet je in ieder geval waar je aan toe bent.

Ze reed met veel te hoge snelheid een bocht in, wat meteen zou zijn afgestraft als ze een andere auto was tegengekomen. Daarna hervond ze haar rust en reed voorzichtig omlaag naar de aanlegplaats van de veerboot.

Toen ze bij de brug aankwam, begreep ze meteen dat Thomas al het noodzakelijke had gedaan. De vindplaats was afgezet, de politiefotograaf was bezig foto's te maken.

De plastic zak was het strand op getrokken. Er kwam een scherpe geur van af, als van zeewier.

Kristina liep erheen. De anderen staarden haar aan, alsof ze niet geloofden dat ze de zak aan een nader onderzoek zou onderwerpen. Ze wist dat alle ogen op haar waren gericht.

Zou ze zich groothouden? Of zou ze reageren zoals

ieder normaal mens? Namelijk een paar passen terug doen en anderen het vuile werk laten opknappen?

Maar wie was zij om de ellende van de mens niet te willen zien? Wie was zij dat ze het recht zou hebben haar ogen te sluiten? Alleen God heeft dat recht!

Dus boog ze zich over de plastic zak. De stank was niet te harden.

'Je hoeft het niet te doen.' Dat was Thomas, die stilletjes bij haar was komen staan.

Ze keek op, glimlachte een onduidelijk lachje alsof ze hem zowel bedankte als zich verontschuldigde. Ze wist dat hij haar ervan probeerde te verzekeren dat hij haar niet verantwoordelijk hield voor wat er was gebeurd, dat hij door het bestuur van de politie was gepasseerd en de baan naar haar was gegaan. Haar fout was het niet, het was de tijdgeest. Hij was een man van vijftig. Zij was een vrouw van dertig-en-een-beetje. Het was duidelijk dat hij geen kans maakte. Hij was verbitterd. Wie zou dat niet zijn?

Kristina wist het allemaal.

Ze draaide zich weer om naar de plastic zak en bekeek verward, geschrokken, walgend en in- en inverdrietig de mensenarm die eruit stak. Hij had een groene kleur gekregen, de verrotting was al aardig in gang gezet, maar had de vorm zelf nog niet aangetast.

Het was een mooie, lange en afgetrainde bovenarm. Als het lijk een vrouw was, dan had ze veel tijd in de sportschool doorgebracht.

'Heb je de patholoog-anatoom gebeld?' vroeg ze.

'De Gouden Tor bedoel je?'

Kristina begreep hem niet en ze zag een ironische blik in Thomas' ogen.

De patholoog-anatoom heette eigenlijk Gustav Lindegren, maar alle doorgewinterde rechercheurs noemden
hem de Gouden Tor. Waarom de Gouden Tor? Daar was
een eenvoudige verklaring voor. Gustav Lindegren was
een gepassioneerd filmliefhebber. Vermoedelijk was hij
de enige Zweed die alle regisseurs wist te noemen die een
Gouden Tor hadden mogen ontvangen, de hoogste prijs
van de Zweedse filmwereld. Zijn eerste geval als forensisch arts was een dubbele moord en overdonderd was hij
uitgebarsten: 'Dit is een echte Gouden Tor!'

Kristina begreep niet hoe iemand dat vak kon kiezen,
dat in zekere zin zijn eigen ontkenning was. Een arts
moet mensen in leven zien te houden, maar het enige
waar een patholoog-anatoom, een forensisch arts, in het
beste geval toe in staat is, is te vertellen waaraan ze gestorven zijn.

'De ambulance is onderweg.'

Kristina stond op. 'Heb je al gepraat met de mensen die
haar hebben gevonden?'

Thomas keek haar aan. 'Hoe weet je dat het om een zij
gaat?'

'Dat weet ik niet. Ik ga er alleen maar van uit.'

Thomas schudde zijn hoofd. Hij was een politieman
die alleen zijn ogen geloofde. Niets anders dan zijn eigen
ogen.

'Ja, ik heb hen gesproken. Twee vluchtelingen. Oom en
neef. Niets te halen.'

'Ik wil ze ook graag spreken.' Ze had er meteen spijt
van. Het was niet onmogelijk dat Thomas het zou opvat-
ten als een onvoldoende voor zijn werk. 'Of nee, laat maar.
Het is niet nodig.'

Thomas ademde uit en was tegelijkertijd genereus. 'Ja maar, natuurlijk kun je met ze praten.'

Kristina had een besluit genomen. Het was niet nodig. 'Laat ze maar gaan. Zeg hun alleen dat we misschien nog eens met hen willen praten.'

Ze voelde een zware tegenzin, een brouwsel van gelijke delen moeheid en schuld, evenals het plotselinge besef van de zinloze wreedheid die het leven in een kansspel verandert. Zo voelde ze zich iedere keer als ze voor een moeilijk onderzoek stond. Ze nam als het ware een voorschot op alle moeheid die haar te wachten stond. Maar wanneer het onderzoek eenmaal op gang was gekomen, zou ze niet rusten voordat ze gevonden had waarnaar ze op zoek was geweest.

Dat ze al was begonnen, zou te veel gezegd zijn.

Ze draaide zich weer naar Thomas om. Ze mocht hem. Iedereen mocht hem, in het bijzonder diegenen die op de hoogte waren van zijn persoonlijke omstandigheden, dat zijn enige zoon geboren was met het syndroom van Down en dat zijn vrouw met regelmatige tussenpozen getroffen werd door zulke zware depressies dat ze moest worden opgenomen in het ziekenhuis. Toch hield Thomas de schijn op, had een vriendelijk woord voor iedereen en hield zijn verdriet voor zichzelf. Maar dat had allemaal betrekking op Thomas als persoon. Als vakman lag het anders, hij was dodelijk gekrenkt in zijn trots en Kristina wist dat het voor hen beiden niet gemakkelijk zou zijn.

'Is het een idee om duikers te laten komen, denk je?'

'Waar zijn we naar op zoek? Toch niet het moordwapen?' Alweer die slepende, nasale klank.

Hij had gelijk. Niemand zou zo dom zijn om het wapen

op dezelfde plek weg te gooien als het lijk. Maar toch... misschien vonden ze iets anders. Gewichten bijvoorbeeld, om het lijk op zijn plaats te houden. Ze had de lussen in het touw opgemerkt.

'Je weet nooit wat je vindt, voordat je gezocht hebt.' Het klonk betweterig, dat besefte ze.

Thomas glimlachte. 'Ik zal er morgen achteraan gaan.'

Hij trok een zuinig gezicht, alsof hij iets at wat slecht smaakte.

Juist op dat moment arriveerde de ambulance.

'Veel meer kunnen we vandaag niet doen. Ga maar naar huis. Ik zorg voor de rest.'

Kristina wist dat ze zich geen zorgen hoefde te maken. Hij zou alles doen wat nodig was. Bovendien was het zaterdag. De sectie zou tot maandag moeten wachten. Er was werkelijk niets wat ze kon doen, behalve dan misschien iemand buurtonderzoek laten doen. Maar ook dat kon wachten. Ze kon naar huis gaan. Het probleem was alleen dat ze daar weinig zin in had. Ze verlangde terug naar de rust in de kerk, naar de muziek, naar het mooie treuren van Mendelssohn.

4

Ze had beter niet bij de politie kunnen gaan. Ze had beter niet kunnen trouwen. Ze had beter geen vrouw kunnen zijn.

Misschien was het beter geweest als ik niet was geboren.

Ze stemde de autoradio af op de zender die meestal klassieke muziek uitzond, alleen net niet op de weinige momenten dat zij wilde luisteren.

'De gebruikelijke pech', mompelde ze en ze deed hem uit. Aan moderne muziek had haar ziel op dit moment weinig behoefte. Ze zocht tussen haar cassettebandjes en koos het *Requiem* van Maurice Duruflé uit. Op die manier kon ze meteen de dode eren die ze net had gezien.

De liefde voor muziek had ze van haar moeder, die in haar jeugd een veelbelovend pianiste was geweest en op weg was wereldwijd de grote concertzalen te veroveren toen ze plotseling ziek werd. Een acute gewrichtsontsteking die chronisch werd en haar mooie handen vervormde. 'Moet je zien. Vroeger zagen ze eruit als bloemstelen, nu lijken het wel afgestorven wortels', zei ze zo nu en dan met een lach die niet in staat was haar bodemloze verdriet te verhullen. Het leven had haar verraden.

Toch behield ze een soort liefdevolle waardigheid, zowel tegenover zichzelf als tegenover haar gezin. Ze had haar enige dochter lief, bracht haar begrip voor muziek bij en ze gaf haar man de warmte waaraan hij behoefte had, en Karl Vendel had behoefte aan veel warmte. Hij was een excentrieke en verstokte vrijgezel, Oost-Duits vluchteling en leraar Latijn op een middelbare school, waar de leerlingen zijn kennis waardeerden, maar de spot dreven met zijn accent en versprekingen die ze zorgvuldig verzamelden en vervolgens afdrukten in de schoolkrant onder de titel 'Vendels vergispingen'. Ooit had hij, toen hij het over de minister van Onderwijs had, gezegd dat zij 'cement' was in plaats van 'dement'.

Hij kon echt verbazingwekkende dingen zeggen. Maar

het verbazingwekkendst, vooral voor hemzelf, was dat hij verliefd was geworden op de jonge pianiste, dat hij zijn eigen leeftijd en die van haar vergat, ze scheelden twintig jaar, en dat hij had gevraagd of hij met haar mocht trouwen.

Het was een verliefdheid waaraan de banale uitdrukking 'liefde op het eerste gezicht' haar bestaansrecht ontleent. Karl Vendel had vaak last van slapeloosheid. Op een nacht, toen hij zoals gewoonlijk niet kon slapen, ging hij naar buiten, de lege Götgatan op, waar hij toen woonde, met de bedoeling naar het verkeersplein Slussen te wandelen. Hij wist dat daar een gelegenheid was voor taxichauffeurs, waar hij een kop koffie en een beetje menselijke warmte kon krijgen.

Hij was zesentwintig toen hij Oost-Duitsland ontvluchtte. Hij was voor een schaakwedstrijd naar Zweden gekomen, hij had naam gemaakt, hij was een internationaal meester en de Zweedse overheid had er geen bezwaar tegen hem een handje te helpen. Vier jaar later had hij zijn studie klassieke talen, waaraan hij al in Oost-Duitsland was begonnen, afgerond. Zweden had geen overschot aan leraren Latijn en hij kreeg meteen een aanstelling.

Alles was beter verlopen dan hij had kunnen hopen, op een kleinigheid na, een zeurende kleinigheid: de eenzaamheid. Hij had er geen idee van dat je zo eenzaam kon zijn; hij had er geen idee van dat de eenzaamheid je zou kunnen beroven van je slaap, van het plezier, van het vermogen om überhaupt iets anders te voelen dan een verlammende angst.

En daarom ging hij eropuit en liep straat in, straat uit,

probeerde zijn lichaam moe te maken in de hoop dat zijn angst daarmee ook zou wegdoezelen.

Zo ook deze nacht, toen hij de vrouw ontmoette die zijn leven als een wodkaglaasje tot de rand toe zou vullen. Het was na één uur 's nachts toen hij, verbaasd, haar zijn kant op zag komen, jong, blond en met een verlegen glimlach om haar lippen. Haar verzoek was wat ongebruikelijk. Ze vroeg hem of hij schel kon fluiten. Ze was haar sleutel vergeten en het meisje met wie ze op kamers woonde, sliep vast. Ze had geprobeerd haar wakker te roepen en kiezelsteentjes tegen het raam gegooid, met het risico het glas kapot te maken. Nu had ze geen opties meer, behalve dan misschien schel fluiten.

Dat kon Karl, en zijn gefluit was zo welluidend dat het niet alleen de vast slapende vriendin wekte, maar bovendien de rest van de buurt. Ongeveer zo ging het er in de Bijbel aan toe toen Jericho viel voor de Israëlieten, en zo viel Marie Louise Wilhelmsson voor Karl. Door een schel gefluit. Karl daarentegen keerde terug uit het rijk der doden en wist wat hij later nooit meer zou vergeten. Hij was verliefd.

Zo begon zijn sprookje met Marie Louise en een jaar later hield hij Kristina in zijn armen.

Kristina was niet alleen een geliefd kind, zij was de belichaming van het geluk van haar ouders, zij gaf tastbare uitdrukking aan de genegenheid die tussen de twee echtelieden bestond en ze ontmoette tijdens haar opvoeding net zo weinig weerstand als een veldbloem. Maar wiens geluk is eeuwigdurend?

Opnieuw werd haar moeder ziek en deze keer was het dodelijk. De ene dag klaagde ze over pijn in haar buik en een dag later ontdekte men dat de kanker door haar hele lichaam was uitgezaaid. In haar maag, haar lever, de lymfeklieren, haar borsten, haar baarmoeder. In drie maanden kwijnde ze weg. 'Ze stierf langzaam weg', zei Karl, die zich daarna wijdde aan zijn dochter en aan de herinnering aan de overledene.

Kristina pakte haar mobiele telefoon. Haar vader nam meteen op, alsof hij op haar telefoontje had zitten wachten.

'Hallo pappie-san.' Sinds ze als klein kind samen met hem naar een Japanse film had gekeken, was dat haar koosnaampje voor hem. Hoe zei Tolstoj dat ook alweer? Een gelukkig gezin kan niet zonder koosnaampjes. 'Ik was benieuwd hoe het met je ging.'

Ze wist wel hoe het met hem ging. Ze wist dat hij in zijn luie stoel zat en met zijn ogen dicht de eenzaamheid in het grote appartement in de binnenstad weerstand probeerde te bieden.

'Goed, met mij gaat het goed. En met jou?'

Ze hield veel van zijn stem, die warm was en een tikje hees na alle jaren voor de klas. Zijn accent was hij nooit kwijtgeraakt.

'Heb je zin om me op een pizza te trakteren?'

Ze wist dat hij niet van pizza hield. Alleen al de gedachte dat zijn dochter pizza zou eten, was voor hem voldoende reden om haar uit te nodigen voor een etentje in zijn favoriete restaurant La Famiglia, dat op een steenworp afstand van zijn appartement lag.

Zo ook vanavond.

'Hoe is het bij jou thuis?' Tegelijkertijd bestelde hij het nagerecht: ijs voor Kristina en crème caramel voor zichzelf.

'Alweer crème caramel?' vroeg ze verwijtend.

'Ja. Ik kan er maar niet aan wennen. Het is zo fascinerend iets te eten en toch het idee te hebben dat je helemaal niets aan het eten bent. Het glijdt naar binnen. Je hoeft niet te kauwen, maar drinken lukt ook niet, al is er nauwelijks iets om door te slikken. Maar hoe gaat het thuis?'

Ze was teleurgesteld. Ze had gehoopt dat hij zijn vraag zou zijn vergeten. Ze kon natuurlijk altijd liegen. Maar waarom zou ze dat doen?

Ze glimlachte stilletjes. 'Het is niet direct zoals tussen jou en mama.'

Karl Vendel wist ervan. Niets kon tippen aan wat er tussen hem en Marie Louise was geweest. Hij had zijn dochter zo graag dat geluk gegund, maar hij wist ook wel welk leed erin verborgen lag. Daarom veranderde hij van onderwerp.

'Wordt het geen tijd om een adoptie te overwegen?' Zijn stem had iets opgewekts, alsof hij de ernst van de vraag wilde verdoezelen.

Kristina wist ook wel dat ze die vraag zou krijgen. Iedereen dacht dat Johan en zij geen kinderen konden krijgen. Dat was niet waar. Wat daarentegen wel waar was, was dat Johan geen kinderen wilde. Toen ze zwanger was, had hij op een abortus aangedrongen. Maar daar kon ze het met vrienden en kennissen niet over hebben. Dat was haar geheim.

'Papa, het nemen van kinderen is geen garantie voor een beter huwelijk.' Ze hield er niet van hem om de tuin te leiden.

Op dat moment kwam de ober met een grote taart, die hij plechtig midden op tafel zette.

'Wat is dit nu weer? Wij hadden geen taart besteld!'

Haar vader hief het glas. 'Gefeliciteerd, lieverd!'

Hij kon zich niet langer beheersen. Hij zag zijn dochter voor zich, maar ook zijn vrouw. De beelden wisselden elkaar af in zijn hoofd, alsof zijn geheugen een listige stier was en hijzelf een onervaren matador die ieder moment het risico liep te worden doodgestoten. Achter de dikke brillenglazen stroomden de tranen, als de zware druppels van een herfstbui.

'Ik dacht dat je het vergeten was.'

'De dag dat ik jouw verjaardag vergeet, ben ik ook vergeten wie ik ben', verkondigde de leraar Latijn, die met een sierlijke pirouette de stier in zijn hoofd op het verkeerde been had gezet.

Ze proostten uitgelaten, ontroerd, verward. Toen Kristina het glas aan haar lippen zette, dacht ze, zonder het echt te begrijpen, niet aan haar moeder, haar vader, haar man of zelfs maar aan zichzelf.

Ze dacht aan de dode in de plastic zak.

5

Toen ze thuiskwam, vond ze Johan verzonken in een videofilm met Al Pacino in de rol van bezeten politieagent in New York. Ze verafschuwde politiefilms en -romans. Ze hadden niets met de werkelijkheid te maken. Ze waren verbeeldingen van de werkelijkheid, logische of half logische constructies van een wereld waarin iedere oorzaak een gevolg heeft en ieder gevolg een oorzaak.

Haar ervaring was dat het tegendeel het geval was. De wereld van de misdaad was in beginsel irrationeel. Er gebeurde van alles, zonder dat iemand eigenlijk had gewild dat het zou gebeuren. Daarom werden de meeste misdadigers vroeg of laat ook ontmaskerd: ze hadden iets gedaan wat ze niet van plan waren geweest, ze hadden geen alibi voorbereid, ze hadden geen verhaal in elkaar geflanst en ze bleven verbazingwekkend vaak rondhangen op plaatsen waar ze niet hadden moeten blijven rondhangen.

'Het draait erom de dader te begrijpen, het draait erom te denken zoals hij denkt', verkondigden deze films en romans, waarin eenzame rechercheurs de ene na de andere slechte daad oplosten.

Hoofdinspecteur Vendel dacht er anders over. Waar het om draaide, was de omstandigheden te begrijpen. Wíé de misdaad had begaan, was de laatste stap. Die neem je altijd wel. De eerste stappen zijn het moeilijkst. Wanneer je in het begin de verkeerde kant op gaat, kom je zelden bij het goede einde uit.

Daarom ontweek ze zorgvuldig de vraag wie de vrouw in de plastic zak zou hebben vermoord. Als de tijd daar was, zou die vraag zichzelf beantwoorden.

'Heb je nog steeds zo'n rothumeur?' Johan keek niet op van zijn film.

Ze ergerde zich aan zijn manier van praten. Hoezo, rothumeur?

'Je moet de groeten van mijn vader hebben.'

'Hoe maakt mijn vriend Karl het?' Johan imiteerde diens zware accent. Hij had er een gewoonte van gemaakt, om de een of andere reden vond hij het grappig.

Ooit had Kristina het ook grappig gevonden, maar inmiddels niet meer. Ze moest denken aan een zin die ze ergens had gelezen: Je kunt iets duizend keer herhalen, maar op een gegeven moment lukt het niet meer. Zo was het tussen hen gegaan. Ze hadden bepaalde dingen duizend keer gezegd en gedaan en nu was het onmogelijk ze nog eens te doen of te zeggen.

Ze besloot het erbij te laten. 'Ik ga slapen.'

'Hmm.'

'Het spijt me van vanmiddag.'

'Mij ook.'

'Welterusten dan maar.'

Zou ze hem een zoentje geven? Ze zag ervan af.

'Welterusten.'

Vergeleken met de dwaaltochten van de liefde is een moordraadsel een open boek. Ze borstelde haar weerbarstige haar. Ze wist zeker dat Johan op zijn manier van haar hield en ze wist dat zij op haar manier van hem hield. En toch... niets leek spontaan, van binnenuit, tussen hen te kunnen gebeuren. Het was alsof ze betrokken waren in een oorlog waarin vriend en vijand niet langer uit elkaar te houden zijn.

De manier waarop hij stil was, bijvoorbeeld. Zijn stilte was kókend. Ze kon hem tot in de badkamer horen. Ooit had hij zich als een mens gedragen. Nu gedroeg hij zich als het weer. Dat kan van het ene op het andere moment en zonder waarschuwing omslaan.

Ze wist niet zeker of ze dit tot in lengte van dagen zou volhouden. Ze moest het er met hem over hebben. Misschien moesten ze een van die relatietherapeuten opzoeken, alhoewel ze had horen zeggen dat dát de garantie was voor een echtscheiding.

Ze kroop in bed met de bedoeling op hem te wachten. Ze had zin om te vrijen. Maar ze durfde het niet langer te laten blijken. De verlatenheid van het tweepersoonsbed maakte het soms gemakkelijker. Het gebeurde als het ware in je slaap. Dat was niet goed en niet voldoende, maar het was beter dan niets.

Toen Johan eindelijk tussen de lakens schoof, lag ze met halfopen mond te slapen.

6

Toen Maria Valetieri rond zeven uur thuiskwam, vond ze haar man Ronny met een fles wodka voor zich. Hij was al dronken, maar nog wel in het stadium waarin hij zowel grappig als geil was. Hij haalde zijn penis tevoorschijn en sloeg er als een voorzittershamer mee op de keukentafel. Maria was vreselijk moe, maar een dergelijke vitaliteit vraagt om een beloning en die kwam er, tegen het aanrecht aan. Daarna ging hij voor de tv zitten en dronk verder. Ze maakte het eten klaar, Ronny prees haar kookkunst en hij was een en al glimlach en ze hoopte dat het een rustige avond zou worden.

Maar twee uur later had Ronny de halve fles leeggedronken en was hij in het depressieve stadium beland. Zijn leven was een ramp. Hij had er altijd van gedroomd vliegenier te worden, maar wat deed hij? De hele dag de kont van zijn baas likken en zijn baan proberen te houden, dat deed hij. Hij was namelijk bouwkundig ingenieur, een zwaar getroffen branche.

Maria was het eens met alles wat hij zei, om hem maar niet te ergeren, maar ook dat ergerde hem en het avondeten kwam abrupt tot een eind toen hij opstond om een eindje te gaan lopen. Hij kon het geen minuut langer uithouden met een slons van een vrouw die nooit iets zei. Hij had net zo goed kunnen trouwen met de voorzitter van de nationale vereniging voor doofstommen.

Wat een inferno was hun leven geworden. Toch was het zo goed begonnen. Ze ontmoetten elkaar al als kleine kinderen in Rågsved. Maria's vader was een Italiaan met donkere lokken die de eerste pizzeria in het centrum van Hagsätra opende. Haar moeder was een wilde bloem uit Ulricehamn, waar de ogen van de meisjes een blauwe kleur hebben die je nergens anders in Zweden vindt. Maria was dus allesbehalve lelijk.

Ronny's ouders waren gescheiden en hij had zijn vader maar een paar keer gezien. Zijn moeder had een bijbaantje als serveerster in de pizzeria en 's avonds bracht ze hem naar Maria's moeder. De kinderen speelden leuk samen, geleidelijk aan ook die spelletjes die hen mettertijd deden belanden in het nieuwgekochte rijtjeshuis met een hoge hypotheek, waar Maria nu eenzaam en vol angst de toekomst tegemoet zag.

Twee uur later, toen het al elf uur was, kwam Ronny terug. Hij had alleen maar een ommetje gemaakt langs de kroeg in het centrum van Huddinge en een paar biertjes achterovergeslagen. Hij was weer in zijn inschikkelijke doen. Hij had van de gelegenheid gebruikgemaakt om een pornofilm te huren en die wilde hij nu samen met haar bekijken.

Maria had hoofdpijn en haar dienst zou de volgende ochtend om zeven uur beginnen. Daarom zei ze dat ze de puf niet had, dat ze geen zin had. Ronny nam de moeite niet om te antwoorden. Hij greep haar bij haar haren en probeerde haar te dwingen naast hem op de bank te zitten.

Dat ging haar te ver. Ze gaf hem een klap in zijn gezicht en hij antwoordde met een trap in haar maag. Toen ze daarna zo goed als bewusteloos op de grond lag, gooide hij zich over haar heen en nam haar nog een keer, maar nu met een blik op de tv, waar een andere verkrachting plaatsvond.

Weer een paar uur later volgde het laatste stadium: excuses en beloften tot verbetering.

Hoelang zou ze het uithouden?

Toch hield ze van hem met de hulpeloosheid van een moeder jegens een lastig kind. Diep vanbinnen geloofde ze dat het beter zou worden, al wist ze niet hoe.

Nu was het nog erger geworden. Want nu had ze ook Östen Nilsson om over na te denken. Ze zou niet aan hem moeten denken, maar toch deed ze het. Dacht hij ooit aan haar?

7

Dat deed hij niet. Östen Nilsson had andere dingen aan zijn hoofd. Hij had zijn eigen hel en hij had weinig zin om er nog een bij te krijgen. Östen had al drie jaar een relatie met een getrouwde vrouw, moeder van twee kinderen en vijf jaar ouder dan hij. Hij had herhaaldelijk zonder succes geprobeerd er een eind aan te maken. Hij was zelfs met anderen uitgegaan, naar bed gegaan, maar uiteindelijk was hij weer teruggekeerd bij Eva Trollén, huiverend van genot. Naar bed gaan met die andere vrouwen was als rondzwemmen in een donker meer. Er was gewoon niemand anders die hem zo ontzettend tot leven bracht als zij. Hij wist dat ze haar beloften niet zou houden. Met regelmatige tussenpozen beloofde ze te scheiden, maar hij wist dat dat niet zou gebeuren. Ze zou haar grote villa in Danderyd, naast de golfclub waarvan haar man een van de toonaangevende leden was, niet verlaten. Hij wist dat zij geen enkel plan koesterde om zijn tweekamerappartement in het steegje in een verre buitenwijk te betrekken, behalve dan om af en toe een middag tussen de dameskapper en het feest op een van de ambassades met hem te vrijen.

Hield ze van hem?

Op haar manier deed ze dat. Welke manier was dat? vroeg hij zich af, maar hij kon niet op een antwoord komen. In ieder geval niet op een vleiend antwoord. Toch kon hij haar niet loslaten. Een middag met haar woog op tegen alle andere nachten. Wanneer hij met zijn hoofd in haar schoot lag, wanneer hij haar hoorde lachen, zuchten, kreunen of wanneer ze keer op keer zijn naam fluisterde op haar dubbelzinnige manier alsof het een schunnig woord was. Dan was hij compleet.

Eva Trollén wist dat en genoot ervan. Ze dreef hem steeds verder op, iedere keer dat ze elkaar zagen. Ze testte zijn grenzen, rekte ze op en wanneer hij dacht dat hij echt niet meer kon, dreef ze hem nog een stukje verder weg van wat hij zijn ik noemde. Zij kreeg hem zover dingen te zeggen en doen die hij nooit eerder had gezegd of gedaan. Het gebeurde soms dat hij na hun ontmoeting een zwarte leegte vanbinnen voelde, maar hij dacht dat dat het verlangen naar haar was.

Op dit moment verlangde hij zo hevig naar haar dat hij alles zou doen om haar te zien. Hij wist dat het onmogelijk was. Maar hoe onmogelijk was het eigenlijk?

Hij nam de hoorn van de haak om te bellen, het zweet stond op zijn voorhoofd en zijn hart bonkte. Hij bedacht zich. Hij had een beter idee. Naar Danderyd rijden en een rondje of twee om haar huis lopen, misschien zou hij haar of zij hem zien.

Een halfuur later parkeerde hij zijn auto, een kleine japanner, aan de achterkant van het ziekenhuis van Danderyd, waar veel jonge verpleegkundigen een appartement hadden. Hij liep in de richting van het Kevingestrand. De avond was gevallen, maar het was nog wel licht. De enorme villa's leken op te zwellen als spinnende katachtigen. Paraboolantennes keerden gulzig hun mond naar het elektronische afval in de ruimte. Er was geen mens te zien, geen kinderstem te horen.

Op de golfbaan sloegen een paar onvermoeibare beginners ballen in de richting van de baai, met het spiegel-gladde water als een ironische blik.

Hij had hier niets te maken. Het was haar wereld en zij zou die nooit voor hem verlaten.

Het enige waardoor een mens kan veranderen, is de ontmoeting met een god of een nieuw inzicht. Östen Nilsson had zijn god ontmoet en zag nu in dat deze god niet van hem was.

Hij wandelde langzaam verder tot hij bij haar huis kwam. Buiten zijn en binnen zijn. Zij was binnen en hij stond buiten. Zo was het en zo zou het blijven.

Plotseling kreeg hij haar in de gaten in de grote serre. Hij kon niet zien wat ze aan het doen was, maar hij nam aan dat ze de tafel dekte voor het avondeten, want ze liep in en uit en leek het een en ander op zijn juiste plek te zetten. Af en toe wierp ze een blik in zijn richting, maar hij wist dat ze hem niet kon zien. Hij wist bovendien dat ze hem daar niet zou willen zien.

Een kind met blond haar, een jongen, kwam naar haar toe en wurmde zich tussen haar benen. Östen wist hoe dat voelde.

8

Zo op het eerste gezicht was het alleen Thomas Roth die nog steeds aan de macabere vondst dacht, om de eenvoudige reden dat hij nog steeds op het bureau was en daar zou blijven tot de volgende ochtend acht uur.

Hij hoopte dat het een rustige nacht zou worden. Hij had slechts twee jonge agenten tot zijn beschikking en die had hij op pad gestuurd naar het centrum van Huddinge en naar Grantorp, waar gewoonlijk vechtpartijen ontstonden tussen verschillende bendes of dronkelappen, als er niet iets ergers gebeurde, zoals de verkrachting van een dertienjarig meisje een maand geleden. Honderd meter van het centrum van Huddinge, in een portiek. Niemand had iemand gezien, niemand had iets gehoord en het meisje was zo uitgeput dat ze zich niets meer kon herinneren, behalve dat de verkrachter naar knoflook rook.

Tot nog toe was het rustig. Om tien uur belde hij naar huis. Zijn vrouw zat tv te kijken. Hun gehandicapte zoon was gaan slapen. Hij vertelde over het lijk in de plastic zak.

'Arme ziel!' Het was niet duidelijk of ze het slachtoffer of haar man bedoelde. 'Hoe kan iemand zoiets nou doen?'

Hij voelde zich altijd hulpeloos bij zware misdrijven. Was de mens zo slecht? Of was hij zo wanhopig?

Na bijna dertig jaar bij de politie zou hij gehard moeten zijn. Het tegendeel was waar. Ieder jaar kon hij er weer iets minder tegen. Ergens vanbinnen voelde hij zich vaag medeverantwoordelijk. Dit was zijn wereld, hij was er verantwoordelijk voor.

Hij zou graag van het soort zijn geweest dat zich ergens een mening over vormt en zich daar vervolgens aan houdt. Maar hij miste dat vermogen. Zijn gedachten gingen alle kanten op, hij kon iets van meerdere kanten tegelijk bekijken. Hij was, met andere woorden, gedoemd om te twijfelen.

Hij wist dat hij een goede politieman was, maar hij

betwijfelde of het goed voor hem was om politieman te zijn.

'Je zou dezelfde zijn, ook al was je timmerman', placht zijn vrouw te zeggen. Waarschijnlijk had ze gelijk. Je ontsnapt niet aan jezelf door een ander vak te kiezen.

Wat deed de moordenaar, wat deden de moordenaars nu? Dacht hij, of dachten zij als ze met meer waren, ooit aan de jonge vrouw in de plastic zak? Waren ze bang? Hadden ze last van een slecht geweten?

En de naaste familie van het slachtoffer? Want natuurlijk moesten er ergens mensen zijn die haar misten, wie ze dan ook was.

Hij pakte een stuk papier en noteerde vragen. Het kon van pas komen, ook voor de nieuwe chef. Ze was vast en zeker goed, maar ze was zo vreselijk jong. Natuurlijk leren ze je tegenwoordig veel op de politieacademie, in zijn tijd leerde je alleen te groeten, maar de werkelijkheid was altijd lastiger.

Kristina Vendel zou dat nog ontdekken.

9

Veel mensen denken, zonder precies te weten waarom, dat een obductie een routinekwestie is. Dat is het niet. Als het erop aankomt, kan een obductie zo omvattend en zo veeleisend zijn, dat het in zekere zin als een gelukkige bijkomstigheid kan worden beschouwd dat de patiënt reeds dood is.

Gustav Lindegren stond voor de tafel waarop de plastic zak lag. Hij was zenuwachtig. Nog maar drie uur geleden lag hij half wakker in bed, naast zijn vrouw Lena, die ook wakker was. Zonder iets te zeggen hielden ze elkaars hand vast, terwijl de kamer langzaam lichter werd en het niet lang zou duren voor de kleine van drie zou komen aanrennen.

De zwarte plastic zak glansde mat. Hij was altijd zenuwachtig vlak voor een obductie, als een acteur vlak voor een première. Hij was bang iets over het hoofd te zien. De doden liegen weliswaar niet, maar het menselijk lichaam bestaat voor een patholoog-anatoom uit verstopplekjes, hoekjes, verborgen valstrikken.

Soms was het eenvoudig. Je zag de wond, je kwam erachter met welk wapen hij veroorzaakt was en andere wonden waren er niet. Maar met lichamen die langere tijd in het water hadden gelegen of begraven waren geweest, was het niet langer zo gemakkelijk.

De plastic zak lag op de obductietafel. Zwart, matglanzend, verontrustend. Hij sloeg een kruisje, iedereen wist dat hij praktiserend katholiek was, nam de scalpel in zijn linkerhand, want hij was niet alleen katholiek maar bovendien linkshandig, haalde diep adem en maakte een snee dwars over de zak.

'Weet je zeker dat je hierbij wilt zijn?'

Kristina Vendel wist zeker dat ze hier niet bij wilde zijn, maar ze moest. Ze moest het lijk met eigen ogen zien, ze kon zich niet tevredenstellen met foto's en beschrijvingen. Ze wist, en dat was een vanzelfsprekendheid, dat er nergens zoveel sporen van de dader te vinden zijn als op het slachtoffer. Het was, zoals gezegd, een vanzelfsprekende regel, maar tegelijkertijd een van die regels die door de politie het meest overtreden werd. Je kunt je er gewoonweg niet toe zetten. Je werpt een blik, zorgt dat je een eerste indruk hebt en gaat ervandoor.

Ze was vastbesloten niets te missen.

De vrouw lag op haar zij met haar benen licht opgetrokken tegen haar onderlichaam. Ze was zeker niet jonger dan dertig en niet ouder dan veertig. Ze had een blauwgroen vest aan op een witte blouse en een blauwe spijkerbroek. Witte, hielloze sokken, maar geen schoenen. De kleren waren onbeschadigd, wat erop duidde dat er geen sprake was van aanranding.

'Zeker weten doe je het nooit', wees Gustav Lindegren haar terecht.

Ze keek hem aan. Op zijn voorhoofd waren zweetdruppeltjes verschenen. 'Hoe bedoel je?'

'Hij kan genoegen hebben genomen met haar mond.' Zijn stem klonk minder neutraal dan hij had gewild en dat wist hij. Hij was altijd bang dat de nachtmerries die hij dagelijks dissecteerde, hem uiteindelijk zouden besmetten. Het was dezelfde angst als wanneer hij zijn driejarige zoontje op zijn arm droeg en bang was hem te laten vallen, waarbij de angst zelf de waarschijnlijkheid dat het zou gebeuren vermenigvuldigde.

'Ja. We kunnen beter niets uitsluiten.'

Toch was dat het wat ze het liefst wilde. In een vroeg stadium zo veel mogelijk uitsluiten, het aantal alternatieven snel begrenzen. Ze kwam een stap dichter bij het werkblad staan, al zou ze liever wegrennen.

De vrouw had geen ringen om, maar wel een kruisje om haar nek. Kristina bekeek het eens nauwkeuriger. Het was hetzelfde soort kruis als ze had gezien op het graf van de onbekende op het kerkhof op Ekerö.

Gustav Lindegren depte zijn voorhoofd.

'Dit is interessant.' Hij wees naar het kruis.

Ze liepen de naastgelegen kamer in, waar de naslagwerken stonden. In de Nationale Encyclopedie vonden ze waar ze naar op zoek waren, een overzicht met schetsen van verschillende kruisen.

'Het is dus een Russisch kruis. Dat zou ons het een en ander kunnen zeggen.'

Maar deze keer wees Kristina hem terecht. 'Het zegt ons wel iets, maar niet veel. Vrouwen dragen de vreemdste dingen. Soms omdat ze het mooi vinden, soms omdat het een geschenk is van iemand die iets voor hen betekent en soms zonder enige reden.'

Haar stem had een agressieve nuance gekregen, alsof deze vrouwelijke neiging slechts het doel had haar werk te bemoeilijken.

Lindegrens inwendige seismograaf registreerde deze uitslag op de schaal van Richter; hij was klein maar duidelijk. Hij draaide als enige reactie zwijgend het lijk op de andere kant en meteen zagen ze drie schotwonden. Een tussen de nek en het sleutelbeen, een ter hoogte van het hart en een hoog in het bekken. Het waren alle drie inschotopeningen en Lindegren draaide het lijk op de rug om te zien of er ook uitschotopeningen waren.

Hij vond er twee, een die waarschijnlijk correspondeerde met het schot in de nek en een die met het schot in de heup correspondeerde.

'De derde kogel bevindt zich nog in het lichaam.'

Hij had het fout. De kogel was niet in het lichaam

achtergebleven. Hij vond hem toen hij de beha van het slachtoffer losmaakte. De kogel was erin blijven steken. Hij pakte hem met een pincet op en legde hem in een aluminium schaaltje. Hij depte nogmaals zijn voorhoofd. Hij deed de beha af, een zwarte met een kanten randje. Het was een model dat Kristina ook droeg, een tikje gewaagd, een beetje koket en het beste van alles was het merk. Niet van het type dertien in een dozijn. Er was maar een klein aantal winkels in Stockholm dat dit merk in het assortiment had. Zelf kende ze er maar een, op de Hornsgatan in het stadsdeel Söder, die in damesondermode was gespecialiseerd. Het was hoe dan ook een begin.

Lindegren werkte geconcentreerd verder. Hij trok de sokken uit, daarna de spijkerbroek en tot slot het slipje, dat opvallend eenvoudig, wit en aan de kuise kant was. Het slachtoffer was in ieder geval duidelijk niet op weg geweest naar een ontmoeting met haar minnaar. Een sexy bovenstukje draag je ook wel voor jezelf of voor andere vrouwen, maar slipjes zijn een ander verhaal. Die moeten gezien worden wanneer er niets meer te verbergen is.

Lindegren boog zich over het naakte lichaam alsof hij bijziend was. Niet dat hij dat was, maar hij had het trucje geleerd: doe geen stap terug. Sta jezelf niet toe te zien wie daar ligt. Concentreer je op de details. Een klein oppervlak per keer. Met andere woorden: dood de dode opnieuw, als je het wilt uithouden.

Kristina miste zijn ervaring. Bovendien had zij een ander probleem. Zij was niet alleen geïnteresseerd in wat de vrouw gedood had, zij wilde net zo graag weten wie zij was.

Ze was een mooie vrouw geweest. Lang, tegen de één meter tachtig, met lange, goedgevormde dijen en benen, die al wat groen waren uitgeslagen. Het haar was blond maar waarschijnlijk geverfd, blauwe ogen, gewelfd voorhoofd, een stevige boezem. Ze was een vrouw om van te houden. Wie had haar vermoord en waarom? Wie had haar drie keer geraakt en waarom, haar in een plastic zak gestopt en in het meer gedumpt?

Er was iets wat Kristina hinderde. Als een herinnering, alsof ze de dode eerder had gezien, ergens, ooit. Ze deed haar ogen dicht om haar gedachten te ordenen, maar Gustav Lindegren gaf er een verkeerde uitleg aan.

'Veel meer zal er niet voor je te zien zijn.'

Hij wilde haar op een kop koffie trakteren, hij had er zelf ook behoefte aan.

Hij had gelijk. Er was voor haar niets meer te zien. Nu zouden de analyses beginnen, verschillende soorten proeven. Het zou tijd vergen.

Eén ding wilde ze echter weten. 'Wat is jouw indruk?'

Gustav Lindegren keek haar met een droeve glimlach aan. 'Jaloezie misschien? Een man met een opvliegend karakter, die de controle zo kan verliezen dat hij op het punt komt dat hij kan doden, maar ook voldoende berekenend is om te proberen het lijk kwijt te raken. Niet psychotisch, maar wel bijna.'

'Hoe kun je er zo zeker van zijn dat het een man is?'

Zelf dacht ze weliswaar ook dat het een man was, maar ze wilde weten waarom. Het kon net zo goed een vrouw zijn. Een sterke vrouw in dat geval, die het lichaam had kunnen dragen, een vrouw die met een pistool of revolver wist om te gaan, maar die vrouwen zijn er. Ze was er zelf een.

46

Gustav Lindegren wist dat ook, toch dacht hij dat de moordenaar een man was. Waarom? Hij twijfelde plotseling. 'Nee, ik kan er niet zeker van zijn. Maar zuiver statistisch gezien zijn het meestal mannen die vrouwen vermoorden.'

Dat wist Kristina ook, maar haar probleem was niet statistisch. Statistieken zijn gebaseerd op de opgeloste gevallen, niet op de onopgeloste. Het was verstandig om voorlopig alle mogelijkheden open te houden en slechts vast te houden aan wat ze zeker wisten.

Wat ze zeker wist was tot nu toe niet veel. Het slachtoffer was een vrouw van in de dertig of daaromtrent. Ze was drie keer geraakt. Ze droeg een Russisch kruis en haar beha was van een zeker merk. Meer dan dat wist ze niet.

'Toch? Of weten we meer?'

'Ja, we weten nog iets.'

'En dat is?'

'Dat ze een kind heeft gekregen via een keizersnee. Je hebt toch het grote litteken op haar buik gezien?'

Ze had het gezien, maar er geen betekenis aan kunnen geven.

'Dank je wel.' Het klonk als een excuus.

'Graag gedaan.'

Er klonk geen ironie in zijn stem. Hij mocht Kristina Vendel en had medelijden met haar. Hij had alle feiten van de zaak voor zich op het marmeren blad. Haar taak was moeilijker: de feiten die hij haar zo gaandeweg zou geven, waren voor haar slechts een uitgangspunt.

'Het is niet persoonlijk bedoeld, maar je lijkt echt aan een kop koffie toe te zijn.'

Ze mocht hem ook en verbaasde zich over hem. Hoe hield hij het vol? Hoe kon hij het ene moment de buik van een rottend lijk openmaken en het volgende moment een hap nemen van een boterham met leverpastei? Het went. Alles went. Ze dacht aan haar vader, die altijd beweerde dat moraal niets anders is dan goede gewoonten. Je kunt eraan wennen een fatsoenlijk mens te zijn, of beter gezegd, je kunt er een gewoonte van maken een fatsoenlijk mens te zijn.

Wat waren het voor gewoonten die de vrouw in de plastic zak hadden gedood? Wat zijn het voor gewoonten die een man tot moordenaar maken?

'Ja, ik neem graag een kop koffie, onder één voorwaarde.'

'En die is?' Gustav keek haar geamuseerd aan.

'Dat we het met geen woord over onze zaak hebben.'

Het was niet moeilijk haar verzoek in te willigen. Het was echter maar de vraag of het iets zou betekenen. De vrouw in de plastic zak zou als een hardnekkige hoofdpijn in hun gedachten zijn, een lichte onpasselijkheid verbonden met de pijnlijke machteloosheid die je ervaart ten overstaan van de gewelddadige, onrechtvaardige dood.

10

Thomas had een leuke verrassing voor haar. Hij had van de computercentrale van de politie een lijst gekregen van mensen die sinds het begin van het jaar als vermist waren opgegeven, maar hij had nog geen tijd gehad ernaar te kijken.

'We zetten Maria aan het werk. Jij hebt wel iets anders te doen.'

Kristina bedoelde het als een opsteker en zo werd het ook opgevat. Daarna vroeg ze hem een vergadering met de hele groep te beleggen om de stand van zaken door te nemen.

Hij verraste haar opnieuw. 'Ze wachten op je.'

Östen had al voor koffie en geglazuurde koeken in de vergaderzaal gezorgd. Maria zette kopjes en bordjes klaar, tevreden met deze alledaagse bezigheden die haar voor even gewone handelingen toestonden, ongedwongen gebaren en voor zichzelf bedoelde glimlachjes die niets te betekenen hadden. Daarna zou een andere werkelijkheid het overnemen.

Kristina bracht snel rapport uit van wat ze bij de patholoog-anatoom te weten was gekomen.

'Zijn er vragen?'

Thomas had natuurlijk zijn lijstje klaarliggen en kaartte het eerste punt aan. 'Kon Lindegren iets zeggen over hoelang ze in het water kan hebben gelegen?'

'Nee, niet met honderd procent zekerheid, maar het is waarschijnlijk dat ze niet pas deze lente in het meer is gegooid, maar al afgelopen winter, net voor het dichtvroor, en toen het ijs ging kruien, is ze komen bovendrijven. Weet iemand zo uit het hoofd wanneer dat was?'

Maria wist het wel ongeveer. Ze ging regelmatig schaatsen. Het ijs had vanaf half maart niet meer gehouden, maar wanneer het was gaan kruien wist ze niet precies.

'Herinner je je wanneer het meer dichtvroor?'

Dat kon ze zich niet herinneren. Maar gewoonlijk was dat rond kerst.

Östen had een voorstel. 'We kunnen er misschien wel achter komen. Volgens mij heeft het meteorologisch instituut satellietbeelden. Ik zal er achteraan gaan. Ik bel hen meteen op.' Hij liep weg.

Thomas dacht hardop verder. 'Als ze inderdaad zo lang in het water heeft gelegen, moeten we ook de lijst van vermisten van vorig jaar opvragen.'

Zijn stem had ineens de nasale klank verloren en klonk bijna opgewonden. Op een bepaalde manier hield hij van uitdagingen.

'Daar heb je gelijk in.'

Kristina klonk helemaal niet blij. Ze pakte een geglazuurde koek, maar legde hem weer neer. 'Ik word dik!'

'Word jij dik?' Thomas wees naar zijn buik, die uitpuilde als een pasgeboren zeehond en de knopen van zijn overhemd deed springen.

'Voor een man is het anders.' Maria, die haar koek al op had en begerig naar die van Kristina loerde, wilde bemiddelen. Ze kon eten wat ze wilde, aan haar was niets te zien. Haar vader beweerde dat ze last had van wormen. Zelf wist ze wel beter wat haar verteerde.

'Hoe het ook zij, er is nog iets wat ik me afvraag.'

Thomas had zo zijn manier om tot de orde te roepen. Ze keken hem aan met een soort kinderlijke verwachting, alsof hij een konijn uit een hoed zou toveren.

'Ik geloof... nee, ik weet bijna zeker dat ze niet op de plek waar wij haar hebben gevonden is gedumpt. Het moet ergens anders zijn gebeurd... waarschijnlijk vanaf een brug waar je een tijdje kunt blijven staan...'

Eigenlijk was het een eenvoudige gedachte, een vanzelfsprekende waarneming en Kristina werd bijna boos dat ze er niet zelf aan had gedacht. De brug over de baai Fittjaviken was niet gemakkelijk toegankelijk. Je moest een eindje verderop parkeren en er naartoe lopen. Zoiets doe je niet graag wanneer je een lijk hebt mee te slepen.

'Prachtig!' Ze kon het zich veroorloven, vond ze.

Thomas glimlachte en boog zijn hoofd alsof hij niet wilde dat iedereen kon zien hoe tevreden hij was.

Kristina ging met meer gezag in haar stem verder: 'Ga hier alsjeblieft achteraan. Het zou veel schelen als we een zinnige theorie hadden om van uit te gaan. We weten niet waar het misdrijf heeft plaatsgevonden, we weten niet waar ze in het meer gedumpt is, we weten alleen waar ze gevonden is. We weten niet wie ze is en ook niet wanneer ze vermoord is...'

'Ook niet wie het gedaan heeft!' Maria onderbrak haar en het scheelde maar een haartje of ze had een slechte beurt gemaakt door op te treden als de chef die alles het beste weet, terwijl ze in werkelijkheid helemaal niets wist.

Kristina lachte, net als alle anderen. Ze zou haar draai wel vinden.

Op dat moment dook Östen op met het bericht dat het meteorologisch instituut hen niet kon helpen. Er waren weliswaar satellietbeelden, maar die waren niet zo gedetailleerd dat de toestand van het ijs eruit viel op te maken.

11

Maria belde diezelfde ochtend naar de buitensportbond in Huddinge. Ze kreeg iemand aan de lijn die haar duidelijk maakte dat ze geluk had, omdat de receptie alleen bereikbaar was tussen negen en elf.

'Het is nu negen voor elf.' Maria waagde een grap, maar kreeg slechts te horen dat het de verkeerde dag was, omdat de receptie op maandagen niet bereikbaar was.

'De gemeente moet bezuinigen', beweerde de onbekende, die de secretaris bleek te zijn. Bovendien bleek hij geen flauw idee te hebben over hoe het met het ijs was geweest deze winter en hij betwijfelde of er iemand was die het wel zou weten.

'Ik weet dat ik midden januari een schaatstocht heb gemaakt. Maar ik zou het exact willen weten', informeerde Maria hem en ze legde kort uit waar het om ging. De secretaris werd meteen welwillender.

'Het spijt me, maar ik kan je niet helpen. Maar ik kan je wel een tip geven. In het Vårbycafé werkt een Zweedse kelner die, zodra het maar enigszins kan, gaat ijsvissen. Misschien kan hij het zich herinneren.'

'Hoe heet hij?'

'Dat weet ik niet. Maar iedereen noemt hem de Baguette en daar kan hij verdomd kwaad om worden, dus ik zou uitkijken als ik jou was.'

Maria beloofde eraan te denken en bedankte hem voor het gesprek. Ze kon het café natuurlijk bellen, maar het was mooi weer en ze had er niets op tegen even niet opgesloten te hoeven zitten. Ze stapte in de oude Volvo en reed weg.

Het was bijna kwart voor twaalf toen ze aankwam. Ze parkeerde de auto, maar liep niet meteen het café binnen. Ze had ineens de behoefte de vindplaats nog eens te zien. Die was dichtbij, aan de andere kant van de weg. Ze nam het pad dat onder de brug door liep. De moordenaar of wie het ook was die de plastic zak had gedumpt, zou hetzelfde pad hebben moeten nemen. Het was te riskant en te ver. Het was inderdaad beter om de theorie dat hij dat zou hebben gedaan af te schrijven. Aan de andere kant was dat Thomas' probleem, niet het hare.

Ze stond een tijdje op het strand en keek uit over het water zonder iets speciaals in gedachte, alsof ze een zielmis hield voor de onbekende, vermoorde vrouw.

Daarna liep ze terug naar het café. Er waren niet veel gasten. Slechts een handvol werkloze allochtonen en vluchtelingen die hier als een stel trekvogels bij elkaar kwamen. Haar vader was zo'n trekvogel geweest, maar hij had het geluk gehad om naar Zweden te komen toen het land de arbeidskrachten met open armen verwelkomde. Nu was er niemand die deze mensen verwelkomde, behalve de schreeuwende leegte in hun hart.

Ze wist dat deze mensen de politie niet vertrouwden en ze kon het merken, zodra ze haar gezicht liet zien. Er ging als het ware een schok door de ruimte, een ongerustheid die haar tegemoetkwam, haar goed voorbereide, onschuldige glimlach om de lippen ten spijt. Nu bevroor die glimlach en deed haar er vals en bedrieglijk uitzien.

Ze wendde zich tot het jonge meisje aan de kassa en legde uit dat ze op zoek was naar een man die de Baguette genoemd werd. Het was belangrijk.

'Die werkt hier niet meer. Waar gaat het over?' vroeg het meisje ervaren en zonder het minste teken van bezorgdheid, eigenlijk zelfs in de volle overtuiging dat ze het recht had vragen te stellen en antwoord te krijgen.

Maria voelde sympathie. Natuurlijk, zo zou je moeten zijn: zeker, onbevreesd, nieuwsgierig. Ze benijdde die jonge meiden; ze was zelf dan wel niet zo heel veel ouder, toch voelde het alsof ze in een andere tijd thuishoorde.

'Weet je wanneer hij is opgehouden?'

Het meisje, dat geen antwoord op haar vraag had gekregen, gaf zich niet zo gemakkelijk gewonnen. 'Nee. Ik heb geen idee.' Dat wist ze heel goed.

'Oké. Weet je misschien wat zijn echte naam is?'

'Nee. Ik heb nooit iemand gehoord die hem anders dan de Baguette noemt, ook al wordt hij kwaad. Niemand trekt zich er iets van aan. Niemand is bang voor hem.'

'Hoezo?'

'Waarom denk je dat hij zo genoemd wordt? Hij lijkt op een baguette. Hij weegt amper vijftig kilo.'

'Dus je weet niet waarom hij is opgehouden?'

Maar nu was het geduld van het meisje op. Ze was niet langer van plan zich te laten uithoren, zonder te weten waar het over ging. 'Het heeft met die moord te maken, of niet soms?' Ze klonk bijna opgewonden.

Maria had die reactie eerder meegemaakt. Niets lijkt zo te fascineren als een moord. Ze vermoedde dat heel Vårby en Fittja erover praatte. Binnenkort zou er een groot artikel in het lokale sufferdje verschijnen, om nog maar te zwijgen van de sensatiebeluste landelijke dagbladen.

'Ja, het heeft met die moord te maken', gaf ze een beetje moedeloos toe.

'De Baguette kan het niet zijn. Hij zou nog geen vlieg kwaad doen.'

'Nee, ik wil hem iets heel anders vragen. Weet je toevallig waar hij woont?'

Het meisje was iets rustiger geworden. 'Tuurlijk. Hij woont verderop... aan de kant van Fittja... in het flatgebouw dat het dichtst bij het water staat.'

'Je hebt geen adres?'

Ze schudde haar hoofd en een seconde werd Maria bijna verblind door haar lange, blonde haar.

'Je kunt het niet missen. Het gebouw is hiervandaan te zien.' Ze wees.

'Het zou handig zijn als ik een naam had', zuchtte Maria. 'Er is vast geen naambordje met "de Baguette".'

Het meisje moest lachen. 'We kunnen bellen. Ik heb zijn nummer.' Ze wilde behulpzaam zijn.

'Dat is een prima idee.'

Het meisje liep de keuken in om te gaan bellen. Maria voelde de blikken van de gasten in haar rug. Ze waren niet bepaald hartelijk.

'Er wordt niet opgenomen.'

'Oké. Bedankt. Ik rij erheen en doe een poging.'

'Absoluut zeker weten dat hij niet verdacht is?' Het meisje wilde zekerheid.

Maria glimlachte. 'Nee. Hij is misschien verdacht, maar hij wordt absoluut niet verdacht.'

Daarna liep ze weg en liet een jong meisje achter dat het verschil niet kende tussen verdacht zijn en verdacht worden. Aan de andere kant was ze de enige niet. Maria had ooit gehoord hoe zelfs de korpschef de begrippen door elkaar haalde.

Zodra ze de parkeerplaats bij de flats in Fittja op-draaide, voelde ze haar hart samentrekken. Ze kon niet goed zeggen waarom. Bepaalde omgevingen riepen ge-woon angstgevoelens bij haar op. Nee, misschien geen angst, dat was een te groot woord, maar een soort dof verdriet, als de pijn van een oude wond.

Een verlaten auto met kapotgeslagen ruiten roestte langzaam weg. Hoelang stond die er al?

Ze herinnerde zich het Rågsved van haar jeugd in de jaren zeventig. Het was er niet zo'n trieste bedoening als hier, er heerste eerder een soort vertrouwen. Er zouden betere tijden komen, dat wist men zeker. In het kleine centrum kwam de jeugd bij elkaar en smeedde plannen voor een nieuwe maatschappij. Er waren demonstraties, muziek, theater en niet te vergeten Olof Palme, die, met zijn haren rechtovereind, er niet voor terugschrok om man tegen man de strijd aan te gaan met de grootmach-ten in Oost en West. Ze probeerde zich te herinneren of ze hem ooit het woord 'sparen' in de mond had horen ne-men. Voorzover ze wist niet.

Haar vader was een geëngageerde sociaal-democraat, lid van de lokale afdeling en hij had haar al van jongs af aan meegenomen om 'de lucht in te ademen', zoals hij dat noemde. Het was een grote afdeling met een levendig programma in hun eigen Volkshuis.

De laatste keer, toen ze er een schrijversavond bij-woonde, waren er tien mensen gekomen, allemaal boven de zestig. De arme spreker, een allochtone schrijver, zei dat hij zich net Jezus voelde: nog twee erbij en hij had zijn twaalf discipelen bij elkaar. Het tijdperk van het woord was voorbij. Nu waren er alleen nog videotheken, graffiti en dreunende muziek, die niet zozeer ergens tegen protesteerden, maar juist de hopeloosheid bevestigden. De toekomst was al passé.

Ze probeerde deze warrige en sombere gedachten van zich af te schudden, ze had een opdracht, ze moest de Baguette vinden. Ze liep de flat binnen die het meisje in het café haar had aangewezen.

Ze las de namen van de huurders. Ze had al bedacht dat het aantal Zweedse namen beperkt zou zijn. Dan was het een kwestie van aankloppen. Ze had nog meer geluk. Op de hele lijst stond maar één Zweedse naam: Arne Sandberg, op de derde etage.

Ze nam de lift en verdreef de tijd met het lezen van wat er op de deur en de muren was geschreven. 'Suck it baby'. 'Mijn grote zwarte lul verlangt naar een klein wit kutje'. 'Alle buitenlanders opgerot'.

Niet bepaald literatuur van wereldklasse, maar zonder twijfel de stem van het volk. En de geur van het volk, die de lift vulde en haar bijna de adem benam. De liften werden vaak gebruikt door wie hoge nood had en er niet op rekende het tot de thuiskomst te kunnen ophouden.

Het was een opluchting om uit de lift de halfdonkere gang met kinderwagens en fietsen in te stappen. Terwijl ze de naamplaatjes op de brievenbussen bekeek, constateerde ze dat bijna alle deuren sporen van inbraak vertoonden.

Ergens blafte een hond. Ze begreep dat ze gevonden had wat ze zocht. Allochtonen hebben zelden huisdieren, zoveel wist ze wel, na jarenlang vergeefs te hebben geprobeerd haar vader over te halen om een pup voor haar te kopen.

Je zou bijna denken dat de hond opendeed, want die zag ze het eerst, met daarachter, hurkend, de eigenaar.

Ze stelde zich voor, liet haar legitimatie zien en Arne Sandberg nodigde haar uit binnen te komen in het twee-kamerappartement dat naar hond en vrijgezel rook. Ze keek rond, op zoek naar een zitplek en Sandberg veegde met een bijna galant gebaar een berg ondergoed van de ene hoek van de bank. De andere was bezet door de hond die duidelijke overeenkomsten met zijn baasje vertoonde. In de eerste plaats waren beide viervoeters, omdat de Baguette met twee krukken liep. In de tweede plaats hadden beide dezelfde hangende mondhoeken.

Hij zag dat ze naar zijn krukken keek. 'Reuma.'

Vandaar. Ze ging op het puntje van de bank zitten.

'Hij is niet gevaarlijk.' Sandberg probeerde haar op haar gemak stellen, maar de aanblik van de hond deed zijn werk teniet.

'Hoe heet hij?'

Ze wilde niet onbeleefd zijn, maar het was onduidelijk of de beleefdheid op de hond of diens baasje gericht was.

'Ra.'

'Ra?'

'Ja. Weet je iets van honden af?'

Het zag ernaar uit dat hij er wel zin in had een kleine lezing te geven en ze was niet van plan hem tegen te houden.

'Deze rakkers... ze moeten namen van één lettergreep hebben, begrijpen maar één lettergreep per keer... zit, hier, haal, stil, zoek, enzovoorts, begrijp je... En de grap is dat die naam iets met een R moet zijn, anders begrijpen ze het nog niet... Een mormel zoals dit hier kun je bijvoorbeeld geen Dolly noemen.'

Sandberg pauzeerde even, omdat hij tevreden was over zijn grap en Maria de tijd gunde om die te waarderen, wat ze naar tevredenheid deed met een kort lachje.

'Bovendien is hij er verdomde goed in zwartjes op afstand te houden. Zo gauw hij een zwartje in het oog krijgt, wordt hij tien jaar jonger. Nee, denk nou niet dat ik iets tegen ze heb... er zitten veel goeien tussen... maar allejezus, het zijn er gewoon te veel geworden. Wat moeten ze hier?'

Hij keek haar indringend aan en zag toen in dat hij hiermee bij haar niet aan moest komen. Hij zou zich moeten rechtvaardigen.

'Ik ben de enige Zweed hier.'

Maria liet het erbij. Ze had geen zin in de verdediging te gaan, het zou niets uithalen. Er is geen verstandig gesprek te voeren met iemand die alleen woont met zijn hond, van alle kanten belegerd door vreemde stemmen, vreemde geuren. Sandberg reageerde paniekerig, hij had geen gelijk met wat hij zei, maar kon je hem zijn gevoelens verwijten?

'Ehm... ik heb eigenlijk alleen een korte vraag voor je. Er is mij verteld dat je vaak gaat ijsvissen, klopt dat?'

Sandberg was wat tot rust gekomen. 'Jazeker, zodra het kan.'

'Weet je toevallig nog wanneer het meer afgelopen winter dichtvroor?'

Ra gaapte wijd en liet tegelijkertijd een wind. Sandberg aaide hem zachtjes op zijn rug, zoals een liefdevolle moeder haar boerende baby streelt.

'Ik weet nog precies wanneer het dichtvroor. Op 13 december.'

'Hoe kun je daar zo zeker van zijn?'

'Ben je niet blij dát ik het zo zeker weet?'

Hij was ineens aan het flirten geslagen, op die eigenaardige manier van mannen op middelbare leeftijd. Ze halen zich van alles in het hoofd; het is de mannelijke variant van de menopauze.

'Ik ben alleen nieuwsgierig', verduidelijkte ze.

'Het geval wil dat ik ieder jaar een weddenschap met mezelf afsluit, begrijp je. Een oude gewoonte, uit Skellefteå... daar woonde ik toen ik klein was... Ieder jaar sloten wij, de kinderen, weddenschappen af over wanneer alles dicht zou vriezen.'

'Absoluut zeker weten?'

Ze zag het jonge meisje van het café voor zich. Haar 'absoluut zeker weten?' had het oude 'weet je het zeker?' doen klinken als een bejaard familielid.

'Ja, zeker weten. Het was 13 december en het was een zaterdag.'

Toen ze opstond om te gaan, vroeg Sandberg of ze zin had in een kop koffie, terwijl hij tegelijkertijd met een gebaar van uitbundige generositeit een raam opende dat uitkeek over het water.

'Het gaat over die moord, hè?'

Maria zag geen aanleiding te ontkennen. Ze volstond ermee het aanbod voor koffie af te slaan.

12

Je kunt niet beweren dat de winkel voor damesondermode op de Hornsgatan bijzonder opvallend is. Je moet weten waar je naar op zoek bent om hem te vinden. Desalniettemin is hij daar al bijna dertig jaar gevestigd. Zonder eronderdoor te gaan, zoals wel is gebeurd met zo goed als alle andere kleine ondernemingen in dezelfde straat. De winkel met elektronica verdween als eerste. Daarna was het de beurt aan de winkel in ijzerwaren. Toen de dansschool, waar tegenwoordig pornofilms werden vertoond. De grote etalage was zwart als een blind oog, met daaroverheen Eros Video.

Söder was aan constante verandering onderhevig. Er dook een groot aantal nieuwe lunchrestaurants op, een aantal daarvan redde het, vooral de Chinese. Andere gingen na een jaartje of wat failliet. Nieuwe reformwinkels, nieuwe kapsalons. Twintig jaar geleden was er slechts één kapper op het stuk tussen het plein Mariatorget en de Ringvägen. Nu waren het er veertien. En sportscholen natuurlijk. Vroeger was er niet één, nu kon je van Saga Motion naar Coliseum rennen, daarna een bezoekje brengen aan Muskelakademin, om vervolgens een stukje verderop bij Proffsen een stimulerend drankje naar binnen te werken, als je er tenminste niet de voorkeur aan gaf binnen te lopen bij een van de twee vestigingen van World Class nabij Station Zuid of Slussen.

Marianne Persson had alle tijd van de wereld om over dergelijke dilemma's na te denken terwijl ze in het kleine kamertje zat, achter in de winkel die ze eigenhandig in de jaren zeventig had opgezet toen haar vriend, met wie ze samenwoonde, naar Amerika vertrok om als modefotograaf carrière te maken.

Op die manier hadden ze elkaar ontmoet. Marianne was fotomodel, een van de eersten die zich in gewaagd ondergoed lieten zien. De fotograaf met wie ze later zou gaan samenwonen, was geen man van grote woorden. Hij schoot zijn plaatjes in stilte, geen opzwepende aanmoedigingen, geen gehijg, niets. Ze vroeg zich stilletjes af of hij soms homo was.

Dat was hij niet. Toen de sessie voorbij was en zij bezig was zich aan te kleden, werd er op haar deur geklopt. Hij was het, met een donkere blik, verbeten als een wijnproever die zojuist azijn heeft moeten drinken.

'Ik ga dood als ik niet met je mag neuken', zei hij zonder omwegen. Het waren de jaren waarin binnen bepaalde kringen het rechtdoorzee-evangelie werd gepredikt. Marianne viel voor hem als een den. Ze vond het origineel, vond dat het eervol was om te zeggen wat je wilde, zonder allerlei glibberige schijnbewegingen. Net zo openhartig zei hij drie jaar later dat hij genoeg van haar had en dat haar achterwerk op een slaapbank begon te lijken.

Marianne bleef alleen met haar twee zoontjes achter. Haar vader schoot haar te hulp, hij financierde de import van hoge kwaliteit ondergoed, hielp met de boekhouding en ze kwam op gang. Het was geen vetpot, maar het was voldoende. Haar klantenkring bestond uit vrouwen die wisten hoe ze zich moesten uitkleden en mannen die wisten hoe ze hen moesten aankleden. Ze was discreet, behulpzaam en stijlvol geprijsd, ongeveer zoals een psychoanalyticus. Niemand wordt echt gezond, maar iedereen voelt zich beter.

Het gebeurde wel dat er gelegenheidsklanten langskwamen, mensen die toevallig voorbijliepen en het oog lieten vallen op iets in de etalage. Niet vaak, maar het kwam voor, speciaal in de dagen voor kerst. Daarom dacht ze dat de jonge vrouw die zojuist binnenkwam er een was, maar haar instinct waarschuwde haar. Ze mocht er dan uitzien als een klant, ze was het niet.

Ze was niet verrast toen Kristina Vendel zich in vol ornaat, met titel en al, voorstelde. Ze besloot haar te behandelen als een klant met een ongebruikelijk verzoek.

'Als ik het goed heb, verkoopt u het merk Lilith. Ik ben het verder in de stad nergens tegengekomen. Is dat juist?' Kristina had een ongedefinieerde glimlach om haar lippen.

'Dat is toch niet strafbaar, hoop ik?' Marianne Persson begreep er niets van en koos daarom voor de tactiek van de onschuldige charme.

'Nee, absoluut niet. Het is niet eens strafbaar om het te dragen!' Kristina wilde meegaan in de humoristische stemming. Het maakte het vaak een stuk gemakkelijker informatie los te peuteren.

'Maar we zijn een zaak aan het onderzoeken... Het slachtoffer had een beha aan van juist dat merk. We weten niet wie zij is. Daarom dacht ik dat u zich misschien iets zou herinneren... Trouwens, ik vind ze persoonlijk heel mooi, maar je moet er wel de buste voor hebben.'

Dat had ze niet moeten zeggen, want nu begaf ze zich op het terrein van Marianne Persson.

'Integendeel, mevrouw Vendel. Zeg ik dat zo juist?'

Kristina knikte bevestigend.

'Het is juist omgekeerd. Het gaat er niet om dat u in de beha past, maar dat de beha bij u past. Daar verdienen wij ons brood aan. Als ik mij wat brutaliteit mag veroorloven, dan moet ik zeggen dat u niet de juiste ondersteuning gebruikt, dat kan ik u meteen al zeggen.'

'Hoezo?' Kristina was gedwongen de beker die ze zelf had neergezet nu ook leeg te drinken.

Marianne Persson bekeek haar met samengeknepen ogen en een zuinig mondje.

'U hebt een mooie boezem, maar hij vloeit enigszins naar de zijkanten uit. Dat kan op zich mooi zijn, een beetje alsof men een geheime deur op een kiertje zet, maar dan moet het wel een kiertje zijn en geen Zwitsers dal voor herkauwende koeien. In dat geval heeft men een beha nodig die de boel wat bij elkaar trekt, ook al zit dat een tikje ongemakkelijk... als u begrijpt wat ik bedoel?'

Kristina peuterde benauwd aan haar vingers. Allemachtig, ze had gelijk. Nog even en ze kon haar borsten in de achteruitkijkspiegel zien. Niettemin was het tijd om over te gaan tot de orde van de dag. Dat vond Marianne Persson kennelijk ook, want ze vroeg welke kleur de beha van het slachtoffer had.

'Zwart.'

'De meest gebruikelijke kleur. De meesten die Lilith kopen, kiezen voor zwart. U hebt niet mogelijkerwijs een foto?'

Kristina Vendel had een hele stapel foto's.

'Ze zijn niet bepaald leuk om te bekijken', waarschuwde ze Marianne Persson, die echter over stalen zenuwen bleek te beschikken. Ze bekeek de foto's nauwkeurig, dacht na en bekeek ze nogmaals.

Daarna schudde ze haar hoofd. 'Het spijt me. Ik heb deze vrouw nog nooit gezien. Ik zou me haar hebben herinnerd. Het behamodel herken ik, maar dat is zoals gezegd heel standaard.'

'Kan ze hem ergens anders in de stad hebben gekocht?'

'Nee. Zoals u zelf al aangaf, ben ik de enige die dit merk verkoopt. Maar ze kan hem natuurlijk in het buitenland hebben gekocht, of iemand anders heeft hem voor haar gekocht.'

Dat was duidelijk. Dat waren mogelijkheden.

'Tja. Het was een poging waard', verzuchtte Kristina Vendel. Maar ineens kreeg ze een idee. 'Waar worden ze gemaakt?' Ze hoopte maar dat het antwoord niet Thailand of een dergelijk land was.

'Het merk is Spaans... tenminste van oorsprong... Wie het nu bezit, weet ik eigenlijk niet. Maar ik heb gehoord dat ze in Estland worden genaaid... dat is goedkoper.'

Kristina voelde hoe haar wangen begonnen te gloeien. Dit was beter dan ze had verwacht. 'Waar in Estland? Weet u dat?'

Maar meer dan dat wist Marianne Persson niet. Ze kon er echter wel achter komen, dat was een kwestie van één telefoontje naar Madrid.

'Ik zou u heel dankbaar zijn!'

Kristina was haar zo dankbaar dat ze zelf een beha kocht van het model dat het slachtoffer droeg.

'Jammer dat u het niet kunt declareren als dienstkleding', merkte Marianne Persson op, terwijl ze de creditcard door de lezer haalde.

13

Thomas Roth en Östen Nilsson zaten naast elkaar aan de grote tafel in de vergaderruimte. Voor hen lag een opengevouwen kaart van Stockholm en omgeving. Ze waren er allebei van overtuigd dat de plastic zak niet was gedumpt op de plek waar hij was gevonden. Het meer Albysjön was te ondiep en de brug over de baai Fittjaviken niet gemakkelijk toegankelijk. De plastic zak moest daar door de stromen mee naartoe zijn genomen. Hoe liepen die? Van het Albysjön naar het grote Mälaren of andersom? En als ze van het Mälaren kwamen, vanaf welke kant dan?

In theorie kon het lijk waar dan ook in het water zijn gegooid, waarna het op de stromen naar het Albysjön was gekomen.

'Wie zou daar meer vanaf kunnen weten?' vroeg Östen zich af.

'Er is vast wel iemand die het weet. Er is altijd iemand die het weet. De vraag is hoe we hem te pakken krijgen.'

'Het meteorologisch instituut misschien?'

Östen had de smaak van de gesprekken met de onbekende jonge vrouw van de klantenservice te pakken. Naar alle waarschijnlijkheid was zij de aardigste persoon ten noorden van München.

Zo gezegd, zo gedaan. Het hoofd van de afdeling hydrologie bleek weliswaar op zakenreis te zijn, maar dat was geen reden om op te geven. Ze zou met iemand anders praten, beloofde ze, en vroeg Östen aan de lijn te blijven.

Anderhalve minuut later bracht ze verslag uit. 'Tja, de

hoofdstroom gaat naar zee, in de richting van Stockholm dus... maar er kunnen lokaal min of meer toevallige stromingen ontstaan... Die zijn niet bestudeerd, maar Lennart, het hoofd, weet alles van het Mälaren, dus als je geen haast hebt... Je mag hem zelf wel bellen...'

'Hmm... er is geen haast bij... de klant is dood.'

'In dat geval!'

Ze was net zo aardig als tevoren en gaf hem het nummer.

Thomas nam de informatie met patriottistische trots in ontvangst. 'Zweden is fantastisch! In welk ander land kun je met één telefoontje aan dit soort informatie komen? En helemaal gratis en voor niets!'

In dit fantastische land was echter ook een jonge vrouw, vermoedelijk moeder van een of meer kinderen, door drie schoten om het leven gebracht en vervolgens gedumpt in een meer dat uitliep in zee.

Ze bogen zich weer over de kaart. Als de dumping, gezien de stroom, ten zuiden van de Fittjaviken had plaatsgevonden, waar had in dat geval de moordenaar gestaan?

De dichtstbijzijnde brug die ze konden vinden, was die tussen de eilanden Stallarholmen en Selaön. Het was niet bijzonder waarschijnlijk dat een plastic zak zo'n lange weg had afgelegd. Er waren verschillende plaatsen waar hij vast had kunnen komen zitten; bovendien had hij door een aantal nauwe passages moeten glippen. Nee, dat was niet alleen onwaarschijnlijk. Het was uitgesloten.

De aardige vrouw bij het meteorologisch instituut had ook iets gezegd over lokale stromen. Dat hield in dat er een kleine mogelijkheid bestond dat de moordenaar gebruik had gemaakt van een brug ten noorden van het

Albysjön. Een snelle blik op de kaart wees uit dat er een heel aantal bruggen was om uit te kiezen. Zowel de Nockebybrug, in de buurt waarvan nog niet zo lang geleden een andere moord was gepleegd, als de Drottningholmsbrug en verder de Tappströmsbrug tussen de eilanden Ekerö en Lovö, en de brug over het nauw bij Lullehov.

'Weet jij hoe het er daar uitziet?'

Östen had in de tien jaar dat hij in Stockholm woonde nog nooit een bezoek gebracht aan het koninklijk paleis Drottningholm en vond dit een goede gelegenheid.

Thomas kon het zich ook niet precies herinneren. Ze zouden erheen moeten om het met eigen ogen te bekijken. Je kon je voorstellen dat de moordenaar daar ergens de plastic zak had gedumpt. Het veer over de Vårbyfjärden zou vast een zekere stroming veroorzaken. De plastic zak was daarop meegekomen.

Het klonk aannemelijk. Östen belde opnieuw met het meteorologisch instituut om te vragen of ze nauwkeuriger informatie hadden over de lokale stromingen in de Vårbyfjärden.

Deze keer moest de vrouw hartelijk lachen. Ze kon de vraag meteen beantwoorden. 'Nee. Daar hebben we geen statistieken over. Maar ik wil het best even navragen.'

'Bij wie dan?' vroeg Östen verwachtingsvol.

'Een snoek. Dat is de enige die iets zou kunnen weten.'

Ook hij moest lachen.

Thomas daarentegen niet. 'In dat geval hebben we niet veel om van uit te gaan', stelde hij vast. 'In dat geval kan het op iedere willekeurige manier zijn gebeurd. Misschien was er meer dan één dader, misschien hebben ze haar aan boord van een kleine boot gehesen en zijn uitgevaren. We zullen nooit weten hoe het eraan toe is gegaan.'

Östen wilde graag iets troostends zeggen en zei daarom wat het meest voor de hand lag: 'Ach, jawel. Als we de betrokkenen maar te pakken krijgen, komen we alles te weten.'

Thomas keek hem met genegenheid aan. 'Oké, laten we een rondje maken.'

Drie minuten later waren ze op weg en ze haalden op het laatste nippertje het veer van Slagsta naar Ekerö. Ze bleven met de raampjes open in de auto zitten, elk in gedachten verzonken. Östen voelde hoe het gat in zijn buik groeide, zijn hele lichaam miste Eva. Zodra er een leegte ontstond in de dagelijkse gang van zaken, vulde zij die met haar afwezigheid. Hoelang zou hij het volhouden? Hij kreeg zin zijn hart bij zijn chef uit te storten, maar Thomas leunde met gesloten ogen naar achteren. Östen kon de aders bij de slapen zien kloppen. In die heel kleine beweging zat heel het leven. Maakte je daar een eind aan, dan maakte je een eind aan het leven.

'Het zou niet zo gemakkelijk moeten zijn om te sterven.'

Het was niet zijn bedoeling te converseren, dus hij nam er geen aanstoot aan dat Thomas zwijgend bleef zitten. Des te meer was hij drie minuten later verrast.

'Dat is het niet.'

Was dat Thomas die vanuit de diepte van het graf antwoord gaf?

'Hè?'

'Het is niet gemakkelijk om te sterven. Twee jaar geleden nam ik de hogesnelheidstrein naar Sundsvall. Ik was in slaap gevallen, toen de trein plotseling keihard afremde. Het piepte en knarste, maar uiteindelijk reden we ergens tegenaan en ontspoorden bijna. Ik dacht dat het een vrachtauto of iets dergelijks was. Weet je wat het was? Nee, je weet het niet. Een klein, oud mannetje. Een iel, klein, oud mannetje dat op de rails was gaan liggen om zich van het leven te beroven. Hij had zelfs naar de machinist gezwaaid en bleef nog een aardig poosje leven nadat hij die hele verdomde trein over zich heen had gehad. Kun je het je voorstellen? Dus zo gemakkelijk is het niet om iemand om zeep te brengen.'

Ze waren net weer aan land gereden, toen Östen op de kaart de brug tussen Ekerö en Helgö ontdekte, die eigenlijk perfect zou zijn met betrekking tot de stroom. Thomas vond het de moeite waard om de situatie van dichterbij te bekijken.

Ze reden er in rustig tempo en met open raampjes heen. De zon was weer tevoorschijn gekomen. Het landschap was... Östen kon niet op het woord komen. Mooi wilde hij het niet noemen, want dat was het niet. Het was iets anders, een soort mildheid die hij nergens anders in Zweden had gezien, het gevoel dat er een kanten sluier over dit landschap heen lag. Maar de brug was een teleurstelling. Hij lag voorbeeldig afgelegen zodat je er ongestoord stil kon staan, speciaal laat op een winternacht, maar het water eronder was veel te ondiep.

Ze keerden zonder een woord te zeggen terug naar Ekerö en Tappström, maar ook dat was een teleurstelling. De brug daar lag midden in de bebouwing, dus reden ze verder naar het nauw bij Lullehov.

Thomas haalde opgelucht adem. 'Dit is een mogelijkheid.'

'Maar het is een aardig eindje van het Albysjön', bracht Östen ertegen in.

Dat was waar. Aan de andere kant was er tijd geweest. De plastic zak was niet pas een week of wat geleden gedumpt. Het ging hier om maanden, de obductie zou meer concrete gegevens opleveren als alle proeven waren geanalyseerd.

Thomas had een geheime passie. Hij hield van landgoederen en een van de landgoederen waar hij het meest van hield was Svartsjö. En aangezien ze er niet ver vandaan waren, konden ze zich wel een kop koffie bij het café daar veroorloven.

'Dan leer je nog eens iets over de geschiedenis van je land!' Hij was plotseling in een goed humeur en plaagde een beetje.

'Ik kom niet uit Zweden.'

'O ja, verdorie, dat was ik vergeten. Je bent een Gotlander.' Thomas deed een half geslaagde imitatie van het dialect.

'Ik kom ook niet van Gotland. Ik kom van Fårö!' Östen nam het wat dat betrof erg nauw.

Het landgoed was gesloten wegens restauratie, maar het café was open. Thomas maakte van de gelegenheid gebruik om een snijplank van geoliede els te kopen, die het café namens de plaatselijke houtfabriek aan de man bracht.

Ze aten kaneelbroodjes en dronken hun koffie in stilte, zittend onder een boom waarvan ze de naam niet wisten. Af en toe kwam er vanuit het oosten een zuchtje wind. De wolken dreven dan weer uiteen, dan weer trokken ze naar elkaar toe, alsof God accordeon aan het spelen was. Ze vergaten waarom ze daar waren, de vrouw in de plastic zak had zich teruggetrokken in het achterste kamertje van hun achterhoofd.

'Zo zou het altijd moeten zijn!'

Maar Östen mocht er niet lang van genieten, want Thomas trok hem mee naar de linde van koningin Christina, die met een omtrek van negen meter naar verluidt een van de grootste van Zweden is.

Östen floot geïmponeerd en net zo imponerend was de uitleg over de grootte van de boom. Die was volgens de traditie ondersteboven geplant. De hovenier was niemand minder dan koning Gustav II Adolf.

'Dit was nog eens een goed idee!' Hij roemde zijn chef en wenste tegelijkertijd dat hij daar samen met Eva zou zijn, dat hij met haar zou kunnen vrijen, verborgen onder de grote linde.

Ook Thomas dacht aan een ander. Hij dacht aan zijn gehandicapte zoon. Hij wilde de jongen zo intens graag blij maken met iets waar hij zelf ook blij van werd. Maar dat was niet altijd even gemakkelijk. Maar zijn zoon zou blij zijn met de snijplank, want hij hield van alle zachte, schone oppervlakken.

Om van onderwerp te veranderen, stelde hij voor via Drottningholm terug te rijden naar Stockholm. Het kon geen kwaad een kijkje te nemen bij de Nockebybrug en de Drottningholmsbrug, ook al geloofde hij er niet in. Het was een veel te drukke weg. Maar toch. De kans bestond. Een erg kleine kans, maar meer dan dat hadden ze niet.

Thomas zei somber: 'Wie verdrinkt, probeert zichzelf aan de haren omhoog te trekken.'

'Ja, als je niet in plastic zit.'

14

Om vier uur diezelfde middag hadden ze een vergadering op de kamer van Kristina Vendel. Stipt één minuut voor vier stapten Östen en Thomas bij haar naar binnen.

'Komt Maria niet?'

De andere twee lachten.

'Zei ik iets grappigs?' vroeg ze chagrijnig.

'Maria is nooit op tijd... nergens... ze komt wanneer ze komt, zo is ze.'

Waarom volharden vrouwen zo stug in het gedrag dat mannen van hen verwachten? Ze zou het er met Maria over hebben.

'Ja. Dan moeten we maar zonder haar beginnen. Zijn jullie iets wijzer geworden?'

Ze vertelden kort over hun vergeefse jacht op geschikte dumpplaatsen.

Kristina bleef een poos lang stil zitten. Deels om Maria een kans te geven, deels omdat ze vanbinnen een nieuw idee voelde opkomen. Het voelde alsof haar hersenen op het punt stonden te niezen en er waren momenten dat het daarbij bleef.

'Ik geloof dat we verkeerd denken. Ik geloof dat we op het verkeerde been zijn gezet door de vindplaats. Er is daar vlakbij een brug... en dus zijn we ervan uitgegaan dat de moordenaar de zak vanaf een brug heeft gedumpt... Hij kan het op zoveel andere manieren hebben gedaan.'

Ze probeerde niet docerend te klinken. Ze stond op en liep een rondje door de kamer. Dat deed ze elke keer als ze zin had een sigaret op te steken. Ze was twee jaar geleden gestopt, toen ze zwanger was.

'Ik geloof dat we het te ver weg zoeken... Ik heb het gevoel dat het dumpen veel dichterbij heeft plaatsgevonden... waarschijnlijk bij de aanlegplaats van de veerboot... of aan deze kant, of aan de overkant...'

Thomas stond versteld. 'Allemachtig!'

Het water bij de aanlegplaats was diep, je kon met de auto helemaal tot aan de kade komen en na elf uur 's avonds was er geen kip te bekennen. Er stonden weliswaar cafés aan de kant van zowel Vårby als Ekerö, maar niemand bleef daar slapen. Toch?

Ze besloten gezamenlijk morgen daarmee verder te gaan.

'Goed gedacht, chef!' Thomas roemde haar. Dat deed goed.

Er werd op de deur geklopt en Maria kwam binnen. 'Het spijt me verschrikkelijk. Heb ik iets gemist?'

'Je hebt alles gemist!' Kristina had er meteen spijt van.

'Ik werd opgehouden door die heks Hole-in-one', legde Maria uit. Kristina keek haar niet-begrijpend aan.

'Ze is misdaadverslaggeefster van *Aftonbladet*. Ze hebben haar overgekocht van *Expressen*', greep Thomas in.

'En waarom wordt ze Hole-in-one genoemd?'

Kristina had het niet moeten vragen. 'Wat denk je?' kreeg ze van alle drie tegelijk als antwoord. Opnieuw realiseerde ze zich dat ze nog veel te leren had in deze nieuwe baan.

Ze keerde zich tot Maria. 'Ik hoop dat je niet te veel hebt gezegd.'

'Ach nee. Ik zei niets, dat was nou juist het probleem. Maar voorlopig zijn we nog niet van haar af. Een vrouwelijk lijk in een plastic zak... dat is voer voor heel wat koppen.'

Dat was een waarheid als een koe.

Kristina ging verder. 'O ja... voor wat het waard is... de beha van het slachtoffer is in Estland genaaid.'

'Er wordt daar zoveel genaaid. Het enige wat hier wordt genaaid, zijn parachutes', viel Östen in.

Ze dachten dat hij de zogenaamde parachuteregelingen bedoelde, de aanzienlijk gestegen pensioenen die de laatste mode waren onder directeuren en hoge overheidsambtenaren.

'Nee, serieus.' Hij wist dat van Eva, wier echtgenoot de grootste aandeelhouder was van textielgigant Borås Industrier. Maar dat kon hij niet zeggen.

'Het is waar dat daar veel wordt genaaid en het is ook waar dat de vrouw de beha overal kan hebben gekocht... maar herinneren jullie je het kruis, zo'n kruis dat orthodoxen dragen... Dat hoeft niet te betekenen dat ze dat zelf was... maar misschien degene die het haar gaf... En we hebben hoe dan ook verder niets om van uit te gaan... Dus het lijkt me dat we de politie in Tallinn zouden kunnen vragen een lijst te sturen van vermisten. Ze zou Estse kunnen zijn. Klinkt dat erg idioot?'

Idioot klonk het niet, maar erg waarschijnlijk klonk het evenmin.

'Dat kan weken gaan duren', mompelde Thomas.

'Heb je een ander voorstel?' vroeg Maria een beetje gepikeerd.

Zo was hij altijd. Zag altijd beren op de weg. Hij zag nooit eerst de mogelijkheden. Ze was blij geweest toen Kristina Vendel tot hoofd werd benoemd. Eerder was ze de enige vrouw op de afdeling moordzaken. Met alle grappen en toespelingen was dat toch wel wat vermoeiend.

'Nee, dat heb ik niet', gaf Thomas toe. 'Bovendien ken ik daar een hoofdinspecteur.'

'Uitstekend! Maria en Östen kunnen met de caféhouders bij die twee aanlegplaatsen gaan praten. Ik was zelf van plan een aantal seksclubs te bezoeken. Ik kan me heel goed voorstellen dat ze in zo'n soort gelegenheid werkte. Als daar iemand verdwijnt, wordt er gewoonlijk weinig haast mee gemaakt dat bij de politie te melden. Zoals ik het nu bekijk, zijn er maar twee figuren die er belang bij zouden hebben om haar niet als vermist op te geven. Aan de ene kant haar moordenaar, aan de andere kant een louche werkgever. Klinkt dat aannemelijk?'

Daarover hoefde ze niet lang in onzekerheid te verkeren. Wat ze hoorden, sprak hen bijzonder aan.

15

Er was veel om over te klagen, maar niet het nieuwe gebouw van de politie van Huddinge. Overal blonk metaal, glanzend keramiek en glas. Je zou zo kunnen denken dat het cellencomplex ieder moment in een disco zou kunnen worden veranderd. Kristina voelde zich er niet thuis. Ze miste haar hok op de Roselundsgatan in de binnenstad, waar ze tot voor een week geleden was gestationeerd. Je kon niet nadenken met zoveel nieuws om je heen.

Waarom had ze naar de functie van afdelingshoofd gesolliciteerd? De waarheid was eenvoudig. Ze had niet verwacht dat ze de baan zou krijgen. Dus had ze voornamelijk uit principe gesolliciteerd, om het personeelsbeleid van de politie te testen. Dat gebeurde trouwens regelmatig, dat ze iets niet voor zichzelf deed en ook niet om het doen zélf, maar eerder uit afwezigheid. Er waren momenten dat ze haar leven leidde, maar zichzelf de rug had toegekeerd, ongeveer zoals toen God zich niet aan Mozes wilde laten zien, maar er wel mee akkoord ging dat deze zijn rug zou zien.

Op die manier was ze ook bij het politiekorps terechtgekomen. Na haar eindexamen wist ze niet wat ze wilde, en haar vader raadde haar aan filosofie te gaan studeren. Ze kwam erachter dat ze dat leuk vond en bracht vier van haar gelukkigste jaren door op het Filosofisch Instituut in Stockholm, waar geen twee docenten op elkaar leken. Hoogleraar Anders Wedberg kon zijn colleges onderbreken met de constatering: 'Nu ben ik dom aan het doen. Nu moet ik hier thuis maar eens over gaan nadenken', en dan liep hij weg. De hoogleraar in praktische filosofie Harald Ofstad was een niet minder originele persoonlijkheid: hij had een diepzinnig essay geschreven over de kunst van het in bed plassen wanneer je spit hebt.

De problemen ontstonden toen ze op zoek ging naar werk. Niemand bleek zo gek om een filosoof aan te nemen.

Het toeval wilde dat ze een advertentie zag in *Dagens Nyheter*. De politie zocht mensen voor de kaderopleiding. Ze had niet verwacht te worden aangenomen, maar dat werd ze wel.

Ze had ook niet verwacht dat ze het naar haar zin zou hebben, maar ze had het wel naar haar zin. Alhoewel ze geen bureaucraat bij de politie wilde worden. Ze wilde de werkelijkheid in. Dus begon ze als iedere patrouillerende aspirant. Daarna werd ze politieagent. Drie jaar later rechercheur. Weer drie jaar later werd ze benoemd tot hoofdinspecteur en afdelingshoofd. Werken bij de politie was als leven in de geheimste laboratoria van de samenleving. Het bevredigde haar nieuwsgierigheid en haar behoefte te begrijpen waarom mensen het leven leiden op de manier waarop ze dat doen.

Haar carrière binnen het korps was in een rechte lijn omhooggegaan. Er was een tekort aan vrouwelijke leidinggevenden en er was een tekort aan academici. Zij was zowel vrouw als filosoof.

Het was snel gegaan. Misschien iets te snel?

Haar nieuwe baan was niet alleen rozengeur en maneschijn. De bezuinigingen bij de politie waren voelbaar. Haar voorganger had zeven speurders en twee secretaresses. Zij moest het doen met drie speurders en een halftime secretaresse, terwijl de gemeente voortdurend groeide. Tijdens het sollicitatiegesprek had ze haar mening te kennen gegeven: ze was niet van plan binnen te komen en gelijk de bezem erdoor te halen; de schoonmaak moest klaar zijn wanneer ze begon.

Dat was haar vanuit de hoogste regionen toegezegd, maar ze besefte ondertussen ook dat ze resultaten moest laten zien. Het percentage onopgeloste misdrijven bedreigde de geloofwaardigheid van de politie. In Huddinge was in de loop der jaren een aanzienlijke stapel van mappen met onopgeloste zaken ontstaan. Dat kon niet langer zo doorgaan.

Ook haar leven kon niet langer zo doorgaan. Johan en zij moesten een beslissing nemen. Hun huwelijk leek op een advertentie voor een zomerhuisje met uitzicht over zee. Op het plaatje ziet het er prachtig uit, maar wanneer je aankomt, ontdek je dat het dak lekt, de muren verrot zijn en de zee alleen te zien is vanaf de naastgelegen heuvel.

Ze hadden alles. Een mooi, groot huis, goed werk, twee auto's, een zomerhuisje op Gotland. En toch... hun huwelijk was lek.

Ze stond op uit haar bureaustoel en liep een rondje door de kamer. Ze bleef staan bij het raam dat uitkeek over het station van Flemmingsberg, met daarachter het ziekenhuis van Huddinge. Het was na vijven. Tijd om naar huis te gaan. Ze zag een man en een jongen voorbijfietsen. Ze herkende hen. Zij waren het die het lijk hadden gevonden.

Ze fietsten in een gezapig tempo, alsof ze nergens naar op weg waren. Maar ze wist wel beter. Ze wist dat ze al bijna drie jaar op weg waren en plotseling kwamen haar problemen haar voor als futiliteiten. Alhoewel ook hun probleem weer een futiliteit was vergeleken met de jonge vrouw die ze opgevist hadden.

Lijden is niet te vergelijken. 'Geen geluk is groter dan dat van jezelf, maar niemands geluk is het lijden van een ander waard', zei haar vader altijd. Dat betekent ook dat geen ongeluk groter is dan dat van jezelf. En toch... in het diepst van haar hart geloofde ze er niet in, ze wist dat het erger was om geen plek te hebben om te wonen dan om een ontrouwe minnaar te hebben. Je kunt je eigen gevoel als maatstaf voor de wereld nemen, maar het was beter om dat niet te doen. Wat op dit moment voor haar het belangrijkste ongeluk was, was wat een vrouw van een jaar of dertig was overkomen, een mooie vrouw zonder naam, op wie iemand drie schoten had gelost. Drie schoten! Dat wees niet op een vakman. Zo iemand weet waar hij moet raken. Aan de andere kant kan zelfs de meest geharde beroepsmoordenaar als een amateur te werk gaan als hij de vrouw moet doden van wie hij houdt.

Alles was mogelijk. Dat stoorde haar nog het meest. Sinds ze de vrouw hadden gevonden, waren drie dagen verstreken en nog steeds hadden ze geen enkele mogelijkheid kunnen uitsluiten. Ze wilde niet nog een map aan de stapel onopgeloste gevallen toevoegen.

Ze pakte de telefoon om de patholoog-anatoom te bellen om te horen of er nog iets interessants was gevonden, toen er op de deur werd geklopt.

16

Het is gemakkelijker om jezelf te veranderen dan je reputatie. Ze wist het. Ze had er hard aan gewerkt die te creëren. Ze dronk te veel, rookte te veel, liep in de kortste rokjes door de gangen van de krant, praatte hard, lachte nog harder, zat wijdbeens en haar zwarte slipje was een boei voor de verdwaalde blikken van de mannen. Het was onmogelijk haar te negeren en het was even onmogelijk te denken dat ze een briljante verslaggeefster was. Ze verborg haar talent net zo effectief als ze haar lichaam tentoonstelde, en dat – het moet gezegd worden – deed altijd weer zelfs de meest verwelkte mannen een paar centimeter groeien.

Haar strategie was net zo eenvoudig als die van een immigrant: ze moest gewoon twee keer zo goed zijn om als half zo goed beschouwd te worden. In de mannenwereld waarmee ze dagelijks geconfronteerd werd, werkte haar tactiek uitstekend.

Nu was ze in verwarring gebracht. Nu had ze met een andere vrouw te maken. Ze had tientallen mannen misleid, maar hoe misleid je een vrouw?

De keuze viel op het spel van de eerlijkheid, aangevuld met de balsamicoazijn van vrouwelijke solidariteit.

'Hallo. Ik ben Beata Viklund, beter bekend als Hole-in-one.' Met een brede glimlach leek ze de ironische, enigszins vragende toon in haar stem te willen onderstrepen.

Kristina had niet verwacht haar zo snel al te ontmoeten en kon niet verbergen dat ze verrast was, met als gevolg dat ze meteen heel formeel werd. 'Wat kan ik voor je doen?'

Beata Viklund keek haar aan, terwijl de brede glimlach langzaam inzakte. 'Je hebt een lijk dat ik graag zou willen zien.' Ze had, zoals gezegd, besloten open kaart te spelen.

'Kan ik een kop koffie voor je inschenken, of iets anders?' Kristina wilde tijd winnen. Dat was dan ook alles wat ze te winnen had. Ze wist dat Beata Viklund het wettelijk recht had om het lijk te zien.

'Een kop koffie graag. Zwart. Zonder suiker.'

Dat was een van Beata Viklunds hoofdbeginselen. Zeg nooit nee als het gespreksslachtoffer je iets aanbiedt. Wanneer er koffie wordt aangeboden, vraag dan niet of er misschien ook thee is. Het was een eenvoudig beginsel dat werkte, zoals alle eenvoudige beginselen.

Kristina werd meteen rustiger. Nu kon ze de zaak tijdens een kop koffie bespreken. Ze wilde niets geheimhouden, maar ze had ook geen zin om te zeggen dat ze niets wisten. Vóór alles wilde ze het beetje wat ze wisten niet onthullen, omdat ze dan de enige voorsprong zouden verliezen die ze op de moordenaar hadden, namelijk dat de moordenaar niet weet hoeveel de politie weet.

'Ik zal eerlijk tegen je zijn', leidde ze haar afleidingsmanoeuvre in, zich terdege bewust van het feit dat Viklund zich niet zou laten afleiden. 'Ik ben nieuw hier. Dit is mijn eerste zaak. Ik kan alle hulp gebruiken. Kan ik je vertrouwen?'

Beata lachte kort. 'Ik vertrouw mezelf al nauwelijks. Maar heb je een beter alternatief?'

'Ik begrijp het. Goed. Ik waardeer je oprechtheid.' Die kon ze helemaal niet waarderen. 'Ik zal de patholoog bellen.'

'Is het de Gouden Tor?'

'Ja.'

'Mooi. We zijn oude bekenden.'

Beata leunde achterover in haar stoel. Dit ging soepeler dan ze had gehoopt. Ze had de koffie niet aangeraakt, alsof ze bang was te worden vergiftigd en met het oog op de kwaliteit van automatenkoffie was haar vrees niet geheel ongegrond.

Ze keek naar Kristina, die achter het grote bureau ineens een beetje verloren leek, en kreeg een idee. 'Wat zou je zeggen van een degelijk interview voor de zondagsbijlage? Daar zou best interesse voor kunnen zijn. Je bent de eerste vrouw op een post als deze.'

Kristina leek na te denken.

'Ik moet het natuurlijk eerst overleggen met de redactie, maar normaal gesproken kan ik doen wat ik wil.'

Kristina twijfelde daar niet aan. Maar ze was goed op de hoogte van regel nummer één binnen het ambtenaren-apparaat: Laat je niet onnodig zien. Dat leidt alleen maar tot jaloezie en bitse commentaren.

'Ik geloof dat het beter is me gedekt te houden, totdat ik hier wat meer thuis ben.'

Beata lachte alsof ze de grap van het jaar hoorde. 'Ik begrijp het.'

Daarna werd ze serieus. 'Ze noemen me Hole-in-one. Weet je waarom?'

'Dat kan ik wel raden.'

'Maar je hebt het vast fout. Je denkt vast dat het met mijn seksuele uitspattingen te maken heeft. Absoluut niet. Hole-in-one betekent dat ik niets dan een gat ben, dat ik een doos ben. En helaas hebben ze gelijk. Want ik

83

ben het ook. En jij ook. Ze zullen je heus niet ontzien omdat jij je gedekt houdt.'

Er klonk een bitterheid in Beata Viklunds stem, die Kristina bijna irriteerde. Niet alle mannen zijn smeerlappen. Haar vader was geen smeerlap. Johan, haar man, was geen smeerlap. Hij was misschien kinderachtig, maar geen smeerlap. Ze kon de lijst langer maken.

Beata Viklund had haar gedachten geraden. 'Ja, ik ken ook mannen die geen smeerlappen zijn. Maar dat is de ene kant van het verhaal. De andere kant is mannen samen. Binnen het korps of in de kleedkamer of op een tribune. Dat is iets heel anders. Ik wil je niet onder druk zetten. Denk er gewoon eens over na. Denk aan al die jonge meisjes die andere voorbeelden nodig hebben dan die anorectische fotomodellen.'

Nu was ze op gang gekomen. Nu zou ze zelfs de paus ervan kunnen overtuigen dat Mozes de eerste producent van condooms was geweest.

Kristina keek haar met een gewiekste glimlach aan. 'Ik ben bang dat ze gelijk hebben.'

'Hoe bedoel je?'

'Je bent een doos!'

Ze barstten allebei in lachen uit. Het ijs was gebroken. Nu was het wachten op het moment dat het weer zou dichtvriezen.

17

Thuis wachtte haar een aangename verrassing. Uit de keuken kwam een heerlijke geur en Johan was met schort voor bezig het avondeten klaar te maken. De schuldbewuste glimlach stond hem goed en hij keek vragend als een pup omhoog.

Ze wist wat er op het spel stond. Ten eerste moest ze haar overmacht niet meteen uitbuiten. Ten tweede was het van belang zijn kookkunsten uitvoerig te roemen. Zo ging dat tegenwoordig. Vroeger vroegen mannen na het vrijen 'was het lekker?', tegenwoordig kwam die vraag na het eten.

Ze gaf hem een zoen op zijn kruin, waar het haar dunner werd als een bos dat plaatsmaakt voor een wei. Het was het tederste wat ze op dit moment kon bieden. Vroeger kusten verliefde vrouwen hun tuberculeuze minnaar op de mond. Tegenwoordig kus je in plaats daarvan hun kale hoofd.

Johan had kip à la Korfu gemaakt. Daar waren ze een aantal jaren geleden op vakantie geweest, in een ander leven bijna, toen ze student waren en zo verliefd dat ze elkaar maar hoefden aan te raken of hun lichamen vermengden zich al als een Griekse salade.

In diezelfde tijd had hij zich losgemaakt van zijn vader, de norse dominee Oskar Theodor Lynéus, die hem niet alleen figuurlijk, maar ook letterlijk met de Bijbel om zijn oren had geslagen.

De eerlijkheid gebiedt te zeggen dat vooral hij die tijd

miste. Of eigenlijk miste hij de lust die hij toen had, toen het leven hem onder de oksels kietelde. Je zou in zekere zin kunnen zeggen dat wat hen vooral van elkaar scheidde, hun verhouding tot het verleden was en niet hun verhouding tot het nu. Zij leek nooit terug te verlangen. Het was hem onder collega's ook al opgevallen dat zijn mannelijke collega's vaak en graag over hun kindertijd en jeugd praatten, terwijl de vrouwen het alleen over het nu en de toekomst hadden.

Hij had een vrouw nog nooit iets horen verzuchten over de tijd dat ze de zestig meter binnen de tien seconden haalde, nog nooit een vrouw horen zeggen dat ze de handbalwedstrijdjes tijdens de gymnastiekles zo miste. Zodra mannen begonnen over die verdwenen glorie die hun lichaam hun had geschonken, kregen de vrouwen een vermoeide glimlach om hun lippen.

De kip à la Korfu bleek een perfect compromis tussen zijn verlangen naar een verdwenen tijd en haar verlangen naar een goed diner.

Ze aten niet in stilte. Ze praatten over de dag die achter hen lag, over de dagen die zouden komen. De stilte bevond zich daaronder, als een verbondenheid.

Ze wist dat hij niets zei over wat hem dwarszat. Hij wist dat zij niet zei dat ze het wist.

Dat ze wat wist?

Gewoon, dat hij verliefd was. Er waren zoveel en zulke duidelijke tekens. Een paar avonden per week ging hij uit, onder het voorwendsel van een avondje met een of meer vrienden. Maar waarom stond hij dan een halfuur onder de douche voor hij wegging? Waarom schoor hij zich nog eens extra en gebruikte hij zo veel aftershave dat hij rook als een Spaanse hoer? Waarom was hij simpele melodietjes gaan fluiten als 'cause I am your lady and you are my man'? Hij die jazzmuziek haatte, popmuziek verafschuwde en rockmuziek als een terroristische activiteit beschouwde? Helemaal erg vond hij de Amerikaanse countrymuziek, die volgens hem het sentimentele barbarisme van koeiendrijvers verenigde met de barbaarse sentimentaliteit van vrachtwagenchauffeurs.

Ze wilde zich niet vernederen met het stellen van de giftige vragen van de jaloezie, die bij voorbaat alle antwoorden afkeuren, en ook wilde ze hem niet horen liegen. Dus zweeg ze en wachtte af.

Er is een liefde die lijkt op Bengaals vuur. Die brutaal de nachtelijke hemel oplicht en daarna uitdooft.

Haar liefde was anders. Die had de aarde nooit verlaten. Daarom wachtte ze af.

Aan de onderkant van dit wachten bevond zich een heel ander wachten. Ze hoopte op de gedachte die als een snel vliegende zwaluw zomaar uit het niets tevoorschijn zou komen en haar naar die man zou leiden die de blik van de dode vrouw had gevangen voordat deze, ook als een Bengaals vuur, doofde.

18

Alessandro Baldini was in 1964 samen met een paar honderd andere Italianen naar Zweden gekomen. Ze hadden verschillende bestemmingen gehad. Een aantal ging verder naar Gislaved, anderen gingen naar Trelleborg, sommigen naar Västerås. Hij was in Södertälje terechtgekomen, bij Scania Vabis, waar hij ruim twintig jaar had gewerkt voor hij overtallig werd. Hij had een paar centen bij elkaar gespaard die hij investeerde in een krantenkiosk bij de aanlegplaats voor het veer bij Slagsta.

Hij was toen zesenveertig jaar geweest en zijn Zweedse echtgenote Ulla veertig. Zij was caissière bij een grote supermarkt in Skärholmen, maar nam ontslag en ging samen met haar man aan de slag. Het duurde niet lang of de eenvoudige kiosk was uitgegroeid tot een heus bedrijfje waar koffie werd geschonken, met broodjes worst en hamburgers, loten en speelautomaten. Ook de kinderen hielpen een handje mee. Hun zoon, die inmiddels drieëntwintig was, studeerde medicijnen en hun dochter van twintig was onlangs aangenomen aan de Hogeschool voor de Opera, waar ze haar zangstudie zou voortzetten. Toch kwamen ze allebei naar de kiosk zodra ze de tijd hadden. Andere werknemers waren er niet.

'Het is tegenwoordig in Zweden niet meer te doen om mensen aan te nemen, en dat ligt niet aan de belastingen waar de werkgeversorganisatie de hele tijd over loopt te zeuren. Welnee. Het ligt aan de Zweden die zo lui zijn geworden. Weekeinden en onregelmatige werktijden en halve dagen en snipperdagen en vakantie en zwangerschapsverlof en vaderschapsverlof en schoonmoederschapsverlof, er komt geen eind aan al die ellende. Toen ik naar Zweden kwam, zat er bij iedereen een klein Luthertje op de schouder. Tegenwoordig hangen ze een rugzakje over die schouder met daarin hun zwemkleren en denken ze dat Luther een merk kattenvoer is.'

'Je kunt het ook overdrijven!' Östen protesteerde half-hartig, omdat hij zelf al drie jaar vergeefs had geprobeerd om een klusjesman te vinden die het werk zou kunnen afmaken dat een andere klusjesman onafgemaakt aan zijn huisje op Fårö had achtergelaten.

'Je moet in ongeveer dezelfde periode als mijn vader zijn aangekomen.'

Alessandro keek blij verrast naar Maria. 'Sei italiana!'

'No, sono svedese!' Maria had er genoeg van dat iedereen haar meteen als Italiaanse bestempelde.

Östen begreep er niets van. 'Hallo?'

'Sorry. Ik word altijd blij wanneer ik een meiske uit mijn thuisland tegenkom.'

Alessandro keerde zich tot Maria. 'Hoe heet je vader?'

'Valetieri. Giovanni Valetieri.'

'Wat, nee... mamma mia! Leeft Giovanni nog? Woont hij nog in Zweden? Hij en ik hebben ooit nog eens gonorroe van hetzelfde meisje gekregen. Sorry... dat soort dingen gebeurde veel in die tijd... voor we trouwden. Ga zitten! Dit moet gevierd worden. Wat willen jullie hebben? Hamburgers? Koffie? Cola? Wijn heb ik helaas niet. Voor een alcoholvergunning betaal je meer dan honderdduizend kronen. Voor de helft krijg je hem zwart, maar dan leef je in de gevarenzone.'

'Vivere pericolosamente!'

Alessandro moest hartelijk lachen. 'Och meisje! Je lijkt nog op je vader ook! Hij zei dat ook altijd.'

'Van dat handelsmerk is weinig terechtgekomen. Het ergste wat hij tegenwoordig doet, is vergeten een pizza uit de oven te halen.'

Deze keer moest ook Östen lachen, maar hij was niet

vergeten waarvoor ze gekomen waren.

'Hoe laat sluit je 's avonds?'

'Normaal gesproken wanneer het laatste veer vertrokken is... kwart voor elf... Daarna ben ik nog even bezig voordat ik naar huis kan gaan... de kassa tellen en zo...'

'Je blijft hier nooit slapen? Jij of iemand anders?'

'Nee. Ik heb hier geen slaapplaatsen.'

'Weet je of de omgeving op de een of andere manier wordt bewaakt?'

'Ja, het wordt bewaakt... we hebben een lokale bewakingsdienst ingehuurd, omdat er hier in de buurt met al die computerfirma's veel wordt ingebroken.'

'Hoe heet het bedrijf?'

'Argus.'

'Argus?'

'Argus.'

'Wat is dat nou weer voor naam?'

'Ik weet het niet. Een Griek is de baas daar.'

Östen en Maria stelden om en om vragen en Alessandro's blik, die steeds onrustiger werd, schoot van de een naar de ander alsof hij naar een partijtje tafeltennis keek.

'Waarom al die vragen? Heeft het met die moord te maken?'

Het was duidelijk dat niemand dat nieuwtje had gemist. Maria vond dat ze open kaart konden spelen.

'We denken dat de moordenaar het slachtoffer hier ergens kan hebben gedumpt. Dat moet afgelopen herfst zijn geweest, ergens in november... We zijn daarom op zoek naar iemand die iets kan hebben gezien... een auto bijvoorbeeld, midden in de nacht.'

'Ik kan jullie niet helpen. Ik wil hier niet bij betrokken raken!'

Maria en Östen wisselden een snelle blik uit.

'Waarom denk je dat je erbij betrokken zou raken?' vroeg Östen.

Alessandro zweeg even, alsof hij verschillende alternatieven tegen elkaar afwoog. Op zijn voorhoofd verschenen een paar zweetdruppeltjes. Ten slotte nam hij een besluit.

'Goed. Het is beter dat ik het gewoon meteen zeg, anders komen jullie er toch achter. Ik heb gelogen. Het komt voor dat ik hier blijf slapen.'

'Waarom?'

Hij keek hen vragend aan. 'Blijft het tussen ons?' Ze gaven geen antwoord.

'Ik heb een... hoe zal ik het zeggen... er is een vrouw met wie ik zo af en toe afspreek... hier... omdat zij getrouwd is en ik getrouwd ben...'

'Hoe heet ze?' vroeg Östen.

'Alsjeblieft! Kunnen we die vraag overslaan?' Alessandro zweette nu rijkelijk. 'Ze is getrouwd, zoals ik al zei... en haar man zal haar vermoorden als het uitkomt... los van het feit dat hij er niet voor zou terugdeinzen ook mij met een mes te bewerken.'

Maria maakte het hem gemakkelijker. 'Goed, we laten haar voor wat ze is. Maar heb je iets gezien?'

Opnieuw stilte.

'Ja.'

Östen voelde hoe het bloed door zijn slapen joeg, terwijl Maria juist ijskoud werd.

'Nou? Moet er een hengel aan te pas komen om jou je mond open te laten doen?' Östen haalde zijn vergelijkingen graag uit de visserswereld waarin hij was opgegroeid.

Maria keek hem verwijtend aan. Het was niet de juiste

tactiek om er hard tegenaan te gaan. Alessandro kwam net als haar vader van Sardinië en daar gebeurt veel, maar niemand praat er met de politie.

'Ja... het was in november vorig jaar, maar de datum herinner ik me niet...'

'Denk je dat de dame in kwestie het zich zou herinneren?' Maria was een en al beminnelijkheid.

'Het is mogelijk... ze houdt een dagboek bij... Ik heb tegen haar gezegd dat ze dat moet verbranden, maar ze zegt dat haar man het nooit zal vinden...'

'Goed, laten we verdergaan!' spoorde Östen aan.

'We waren dus hier... Het was een gure nacht... het waaide verschrikkelijk en ik was bang dat de hele kiosk weg zou vliegen... ik was dus ongerust en kon niet in slaap komen... Bovendien...,' en hier richtte hij zich tot Maria, 'de dame in kwestie snurkt als een walvis in open water... dus ik stond op om een sigaretje te roken en toen zag ik die auto.'

'Wat voor auto was het?'

'Zo'n klein busje... dus ik dacht dat het de bewakingsmannen waren die hun ronde deden... maar ik vond het raar dat ze zo dicht bij de kade stilstonden, op het randje bijna... dus ik keek nog eens extra goed, maar ik kon verder niets zien, behalve... maar daar ben ik niet zeker van...'

'Wat dan?'

'Ik dacht een grote D op het busje te zien... als landsaanduiding... maar ik weet het zoals gezegd niet zeker.'

'Heeft hij daar lang geparkeerd gestaan?'

'Nee, een minuut of wat.'

'Je hebt niet iemand zien uitstappen?'

'Nee, het was pikdonker.'

'Hoe heb je de D dan kunnen zien?'

'Die zag ik pas later... toen hij hier voorbijreed... in volle vaart... toevallig bliksemde het net op dat moment.'

'Maar waarom was het pikdonker? De lichten op de aanlegplaats zijn toch de hele nacht aan?'

'Er was een stroomstoring. Zoals ik al zei... het waaide echt ongelofelijk die nacht.'

Ze zwegen. Toen zei Östen met een ernstig gezicht: 'Hmm... Over het algemeen ben ik geen voorstander van slippertjes, maar deze keer zou het wel eens nuttig kunnen blijken.' Zou men hetzelfde kunnen zeggen over zijn slippertje?

Alessandro lachte als een boer met kiespijn. 'Ik hoop zoals gezegd dat dit tussen ons kan blijven.'

Maria verzekerde hem dat hij geen reden had om zich zorgen te maken. Ze bedankten hem voor zijn hulp en pakten het veer naar Ekerö. De ochtend was bewolkt geweest, met onrustige korte windstoten uit steeds wisselende richting, als een ongeduldige kindertekening. Nu scheen de zon, de wind was gaan liggen, het gemeentelijke veer gleed kalm over de Vårbyfjärden.

'Het gaat de goede kant op.' Maria dacht dat hij het onderzoek bedoelde, maar Östen dacht aan het weer. Ze hadden een zware winter achter de rug: lang als een soapserie op tv, donker als een ongeopende tunnel, somber als een bootvluchteling. 'Het is een wonder dat we het ieder jaar overleven.'

Ondertussen dacht ze verder. 'Denk jij dat het elektriciteitsbedrijf stroomstoringen en zo bijhoudt?'

'Bel ze! Eén telefoontje en je hebt het antwoord.'

Maria belde de telefoniste van het politiebureau en kreeg het nummer van het elektriciteitsbedrijf in Huddinge. Diegene die antwoordde was niet in een best humeur.

'Hoe moet ik in godsnaam weten of er in november een stroomstoring was?'

'Nee, jij misschien niet. Maar er zal vast iemand zijn die het weet.'

'Dat moet dan Billy zijn!'

'Wie is Billy?'

'De computer. We hebben hem naar Bill Gates genoemd.'

'Ik vraag het mijn hond en mijn hond vraagt het zijn staart!'

Maria citeerde een van haar grootmoeders spreekwoorden, in een poging haar irritatie te verbergen over die norse stem aan de andere kant van de lijn die haar kippenvel bezorgde. Ze was heel gevoelig als het op stemmen aankwam.

'Het kost wat tijd', zei de stem iets inschikkelijker. 'Om welk gebied gaat het?'

Östen, die het gesprek volgde, kreeg er genoeg van. 'Wat denk je, stuk onbenul!' schreeuwde hij in de hoorn. 'Huddinge natuurlijk. Heel godvergeten Huddinge!'

Het werd stil. Toen zei de zeikerd aan de andere kant van de lijn: 'Daarvan zal ik rapport uitbrengen.'

'Breng jij maar lekker rapport uit. Maak gewoon een print van alle stroomstoringen tussen 10 november en 10 december en stuur die naar het politiebureau. Nu! Direct!'

Buiten adem verbrak hij de verbinding.

Toen gebeurde het. Maria boog zich voorover en gaf

hem een zoen op zijn mond, en op hetzelfde moment haakte het veer zich vast aan de aanlegplaats en was het tijd om van boord te rijden.

En dus bleef haar zoen bij een plagerig kusje, dun als het spoor van een slak.

19

Je zou het idee kunnen hebben dat de politie over de hele wereld graag en vaak samenwerkt. Het gebeurt wel, maar noch graag, noch vaak. Prestige, lijken in de kast, ideologische tegenstellingen en noem maar op steken daar een stokje voor. De samenwerking die er is, is grotendeels het resultaat van een gelukkige samenloop van omstandigheden. Een Zweedse hoofdinspecteur die het goed kan vinden met een Estse of een Russische dito. Misschien houden ze van dezelfde soort wodka of hetzelfde soort meisjes of worden ze gedwongen samen te werken en ontstaat er genegenheid.

Zo was de vriendschap van Thomas Roth met zijn Estse collega Jannis Vitalis ontstaan. Twee Zweedse zakenlui waren op brute wijze in Tallinn vermoord. Het was helaas een banale geschiedenis met sterke drank, seks en Zweedse goedgelovigheid, die afliep met twee levenloze lichamen op een stortplaats buiten de stad.

De politie in Estland had iets dergelijks al veel te vaak gezien om er een hoofdzaak van te maken, maar de politici oefenden druk uit. Estland wilde lid worden van de EU en Zweden was een van de landen op wiens steun ze konden rekenen. Men kon het zich niet permitteren om Zweedse zakenlui zo zonder meer te laten verdwijnen.

En dus deed men zijn uiterste best de hoeren en pooiers die erbij betrokken waren te vinden en om te laten zien hoe goed men was, werd ook de Zweedse politie uitgenodigd. Aangezien een van de zakenlieden in Huddinge woonde, mocht Thomas Roth op reis om voor zijn Estse collega's te applaudisseren. Het was toch niet meer dan een symbolische handeling. Men greep twee hoeren in de kraag, een pooier en twee van diens medewerkers, die vast schuldig waren maar niet met het misdrijf in verband konden worden gebracht en vrijgelaten werden. De Zweedse zakenlui bleven dood.

Maar toch was er iets goeds uit voortgekomen. Hoofdinspecteur Jannis Vitalis en rechercheur Thomas Roth vonden elkaar op grond van twee omstandigheden. Allereerst waren beiden joods, Vitalis van moederskant en Roth van vaderskant. Daarnaast hielden ze beiden van burchten, landgoederen, oude vestingen, oude kapelletjes, vervallen bruggen. Ze waren gewoon verliefd op een tijd die niet de hunne was. Allebei meenden ze dat ze van de schoonheid hielden, terwijl het er in feite op neer kwam dat ze van de áfstand hielden, de mogelijkheid aanwezig te zijn zonder betrokken te zijn, te aanschouwen zonder zelf te worden aanschouwd.

Met die voorliefde hadden ze misschien beter archeoloog kunnen worden, maar, zoals Jannis Vitalis gewoonlijk zei, was een rechercheur in feite geen archeoloog van het heden?

De twee mannen brachten samen aardig wat uurtjes door en discussieerden onder het genot van een glas bier over de onstuimige opkomst van het geweld in de Estse samenleving na het uiteenvallen van de Sovjet-Unie. Als een autoritaire samenleving instort, zijn chaos en wanorde het gevolg, was de meest voor de hand liggende theorie.

Jannis Vitalis verwierp die krachtig. Het was juist omgekeerd, vond hij. De oorsprong van het probleem lag juist in de autoritaire samenleving. Decennialang had men in afwachting van de vrijheid allerhande impulsen opgekropt, en toen de vrijheid eindelijk kwam kon men die impulsen niet langer controleren. Een uitgehongerd mens wil altijd meer eten dan goed voor hem is, dat weet iedereen.

Het probleem van de autoritaire samenleving was dat het de vrijheid veranderde in een strafbare droom. Het probleem van onze huidige samenleving is dat men droomt van het strafbare.

'Je kunt de Oostzee niet aan banden leggen', zei Jannis Vitalis altijd. 'Net zomin als je de verlangens van mensen naar wat ze ook maar willen aan banden kunt leggen: geld, seks, bewusteloosheid. Daar zien wij nu de resultaten van en het einde is nog niet in zicht.'

Thomas Roth was niet gewend om dergelijke discussies te voeren. Thuis, in Stockholm, hadden hij en zijn collega's het over pensioenregelingen, vergoedingen voor gemaakte overuren of vakantieplannen. Het ideologisch debat bestond in grote lijnen uit een aantal modewoorden die zonder enige consequentie konden worden verwisseld.

Waar kwam dat verschil vandaan? Waarom leek al het Zweedse zo plat, zo alledaags, op een eerder banale dan verstandige manier?

'De oorlog!' gaf Jannis Vitalis als standaardantwoord. Zweden had de oorlog aan zich voorbij zien gaan. 'De Zweden hebben nooit volwassen hoeven worden.'

Zulke grote woorden nam Roth niet graag in de mond. Een land zou geen oorlog nodig moeten hebben om volwassen te worden, dacht hij in zichzelf, maar wat is het alternatief? De zandbak?

Hij bracht zijn week in Tallinn door in gezelschap van zijn nieuw verworven vriend. Toen was het tijd de thuisreis te aanvaarden en Jannis Vitalis bracht hem naar de haven, waar de Estonia zich klaarmaakte om uit te varen. Er stond een harde wind. De golfbrekers konden niet voorkomen dat de golven ook binnen de haven nog hoog waren.

Thomas veroorloofde zich een grap. 'Met deze zeegang gooi ik alle wodka van de afgelopen week er zo weer uit.'

Vitalis zei niets. Hij startte de auto weer en maakte rechtsomkeert. 'Je kunt vannacht bij mij blijven slapen. Dit is geen weer om op zee te zijn.'

Roth dacht dat hij een grap maakte, maar dat was niet zo. Jannis wuifde Thomas' protesten weg en reed regelrecht naar huis, waar zijn vrouw al bezig was met het avondeten.

Dus toen de Estonia verging, sliep Thomas Roth op een veldbed in de huiskamer van Jannis Vitalis.

En dat was dus de man die Thomas Roth nu al verschillende keren had geprobeerd te bellen. Hij kreeg steeds tegenstrijdige berichten. Iemand zei dat hoofdinspecteur Jannis Vitalis in vergadering was, een ander dat hij op dienstreis was, een derde dat hij met pensioen was.

Nummer vier die de telefoon opnam, was Jannis Vitalis zelf.

Na de begroeting en de rituele vragen over het wel en wee van de familie, legde Roth uit waarom hij belde.

Zo gemakkelijk was het niet. De Estse politie was nog niet geautomatiseerd. Documenten werden in dozen in een kelder opgeborgen. Een lijst vinden van personen die als vermist waren opgegeven, zou mogelijk meer werk vergen dan het vinden van de vermisten zelf.

'In deze chaos hebben we een radar nodig om ons eigen achterste te vinden!' beweerde de hoofdinspecteur in Tallinn.

Maar hij zou zijn best doen.

20

Kristina Vendel had verschillende verslagen voor zich liggen. De technici van het gerechtelijk laboratorium in Linköping hadden kunnen vaststellen dat de kogel een .32 ACP was, die gebruikt kon worden in een Walther model PP en een browning, twee tamelijk gangbare wapens waar gemakkelijk aan te komen was. De spoed van 209 mm per omwenteling was daarentegen niet gangbaar, noch voor een Walther PP, noch voor een browning, wat hun toch de nodige hoofdbrekens opleverde.

De schootsafstand was waarschijnlijk tussen twee en

drie meter, aangezien er op het slachtoffer geen kruitsporen waren aangetroffen.

Het rapport van de patholoog-anatoom ging gedetailleerd in op de wonden, de inhoud van maag en darmen en de bacterieflora in de vagina. Nergens waren sporen van sperma gevonden, maar dat sloot niet uit dat die er wel waren geweest, maar met de tijd weer waren verdwenen. Het lichaam had minstens zes maanden in het water gelegen; seksuele contacten tussen het slachtoffer en de dader, vrijwillig of onvrijwillig, konden daarom niet worden uitgesloten. De laatste maaltijd van het slachtoffer moest vlees met rode bieten zijn geweest.

Borsjtsj! dacht Kristina. Het slachtoffer moet borsjtsj gegeten hebben. Dat duidde erop dat ze uit het oosten kwam. Ze kon bijna zeker uitsluiten dat ze Zweedse was. Het was een begin.

Het interessantst waren haar tanden. Het slachtoffer had vijf grote vullingen. Vier daarvan waren van amalgaam, maar de vijfde was van het modernere porselein. Dat kon erop duiden dat het slachtoffer in Zweden naar een tandarts was geweest, omdat het amalgaamdebat in de meeste andere landen nog niet echt op gang was gekomen.

'Zelfs de hysterie heeft haar goede kanten', schreef de Gouden Tor, en Kristina zag in gedachte hoe hij zijn lippen tuitte en zijn ogen samenkneep en tevreden was over zichzelf en zijn gedane arbeid.

Het was interessant, maar hoe vind je de juiste tandarts, ervan uitgaande dat het slachtoffer inderdaad hier bij de tandarts was geweest.

Hoe kiest iemand een tandarts? Met name als je ergens

buitenlander bent? Ga je naar de eerste de beste? Of ga je op zoek naar iemand die jouw taal spreekt?

Dat laatste was waarschijnlijker.

Ze kon een kansje wagen. Als het slachtoffer Estse was, dan was het waarschijnlijk dat ze op zoek zou gaan naar een tandarts die Ests sprak, of in ieder geval Russisch.

Ze haalde de Gouden Gids en bladerde verstrooid naar 'Tandartsen'. Elf pagina's. Het zou al een volle maand werk kosten die allemaal langs te gaan. Ze gaf het op. Het was niet eens zeker dat de vullingen in Zweden waren geplaatst, en nog minder zeker dat dat in Stockholm was geweest.

Juist toen ze de gids wilde dichtslaan, wekte een naam haar nieuwsgierigheid: 'Marja Ragosin, Manhemsgatan 4, Hägersten. Telefonisch bereikbaar: dagelijks tussen 7.15 en 8.00 uur.'

De verleiding was te groot. Miljoenen Zweden kopen iedere week een lot. Wie niet waagt, die niet wint.

Het was acht uur geweest, maar toch was de lijn bezet. Vijf minuten later hetzelfde verhaal. Een kwartier later: nog steeds in gesprek. Er klopte vast iets niet.

Een halfuur later.

'Ragosin.' Een man nam op. Waarschijnlijk was hij het die de lijn eerder bezet had gehouden.

'Ik zou tandarts Marja Ragosin graag spreken.'

'Zij is op dit moment telefonisch niet bereikbaar.' Langzaam, alsof het om een bommelding ging.

Kristina was in een goed humeur. 'Ik bel niet vanwege mijn tanden. Ik bel vanwege een moord!' Ze genoot van de bezorgde stilte aan de andere kant van de lijn.

'Wie kan ik zeggen dat het is?'

Het onderwerp was kennelijk niet al te onwaarschijnlijk.

'Rechercheur-hoofdinspecteur Vendel, de politie van Huddinge.'

'Een ogenblik.'

Ze wachtte. Ze snakte naar een sigaret.

'Tandarts Ragosin.' Een beheerste vrouwenstem.

'Ja, goedemorgen. U spreekt met hoofdinspecteur Vendel. Ik bied mijn excuses aan voor het ongelegen tijdstip waarop ik bel, maar ik zou u graag om wat informatie vragen.'

'Nu?'

'In ieder geval zo snel mogelijk.'

'U bent welkom om één uur. Dan heb ik lunchpauze.'

'Uitstekend. Ik zal er zijn.'

Ze vervloekte zichzelf toen ze neerlegde. Ze begreep dat ze manisch aan het worden was. Er was er maar een die haar beter dan wie dan ook tot bedaren kon brengen. Niet haar man, niet haar vader, niet haar naaste medewerkers.

De officier van justitie.

Velen denken dat de rol van de officier van justitie het uitspreken van de aanklacht tegen de dader is. Dat is ook zo. Maar net zo belangrijk is de taak om ervoor te zorgen dat de politie niet in het wilde weg aan het werk gaat. Dat is een van de redenen waarom de officier van justitie van begin af aan bij een zaak betrokken is en de ontwikkelingen volgt. Een andere reden is dat de officier van justitie op die manier evenveel weet als de politie, wat hun werk beduidend vergemakkelijkt.

Het gaat als volgt. Het gemene volk wil dat de misdadiger zijn straf krijgt. De politie zorgt ervoor dat de misdadiger wordt gepakt. De officier van justitie ziet erop toe dat de politie haar bevoegdheden tijdens de jacht op de misdadiger niet overschrijdt en formuleert daarnaast de aanklacht. De advocaat van de verdachte bestrijdt de aanklacht of formuleert deze anders. De rechtbank spreekt een oordeel uit over zowel de misdadiger als de officier van justitie, de verdediger en de politie. Ten slotte beoordeelt het gemene volk het besluit van de rechtbank, dat meestal als te mild wordt beschouwd.

Het systeem van gerechtigheid heeft als uitgangspunt dat geen van de partijen ooit volkomen tevreden is, wat tevens de voornaamste garantie is dat het over het algemeen naar tevredenheid functioneert.

Het is alleen uitkijken om niet in cynisme te vervallen, de nimmer optimale rechtvaardigheid niet als reden aan te voeren voor de onmogelijkheid van die rechtvaardigheid, een kwaal waar iedereen vroeg of laat door wordt getroffen.

De jonge officier van justitie Mitsuko Öberg-Namamoto was tot nu toe nog niet in cynisme vervallen. Ze was krap achtentwintig jaar, dochter van een Japanse choreograaf die tijdens een gastoptreden in Stockholm was blijven hangen in een dansante, Zweedse pas de deux. Haar ouders hadden haar niet alleen het beste van hun uiterlijk gegeven, maar ook het beste van hun eigenschappen.

Mitsuko was gracieus en natuurlijk, gevoelig en flink, fantasievol en pragmatisch. Welke eigenschap afkomstig was van welke ouder was een geliefd onderwerp tijdens familiebijeenkomsten, waarbij naar alle kanten steken onder water werden gegeven. Dit zeldzame brouwsel werd beheerd door meersporige hersenen, die waren uitgerust met een serieuze nieuwsgierigheid. Maar zelfs perfecte mensen zijn niet meer dan bijna perfect. Mitsuko was extreem bijziend. De sterkst verkrijgbare lenzen hielpen haar om zich in de ruimte te oriënteren, maar details op een meter afstand ontgingen haar volkomen. Haar wereld bestond niet uit lichamen en dingen, maar uit contouren en schaduwen.

Daarom trok het recht haar, meer precies de juridische taal. Ze werd erheen gelokt door de helderheid en de exactheid, ze was intens gelukkig wanneer ze goedgeschreven wetten en vonnissen las. Het was alsof deze haar zwakke ogen compenseerden. Dat wat ze nooit zou zien, kon ze begrijpen.

Ze besloot al op zestienjarige leeftijd om officier van justitie te worden, toen ze voor het eerst in contact kwam met het slechte in de mens en de gebreken van de rechtvaardigheid.

Haar zusje, een lieftallig kind van amper negen jaar, was ontvoerd, verkracht en ten slotte met zeventien messteken om het leven gebracht. De politie kreeg de schuldige nooit te pakken. Een man werd een aantal maanden vastgehouden, er waren aanwijzingen die in zijn richting wezen, maar hij ontkende en de officier van justitie vond dat er te weinig bewijs tegen hem was. Hij werd vrijgelaten. Zes maanden later werd hij opnieuw opgepakt. Deze keer had hij zich vergrepen aan een vierjarig jongetje, dat hij daarna had begraven onder een berg stenen op een terrein waar een enorme machine die stenen tot gruis vermaalde.

Als de machine die ochtend op gang zou zijn gekomen, had men het vermoorde jongetje nooit meer kunnen terugvinden. Maar de machine kwam niet op gang, een krukas was kapotgegaan. De herdershond van de conciërge vond al snuffelend het levenloze lichaampje.

Deze keer waren er getuigen. Men had de jongen in de auto van de man zien zitten. De patholoog-anatoom vond sperma in de mond van het kind en op zijn laarzen ontdekte het lab bloed van het kind. Hij had het doodgeschopt.

Deze keer kwam hij niet onder een bekentenis uit. Daarom maakte hij van de gelegenheid gebruik om zijn geweten te verlichten en hij bekende dat hij Mitsuko's negenjarige zusje had vermoord.

Het ging niet alleen om zijn geweten, maar ook om een juridisch tactische zet. Hij bekende twee kindermoorden met ernstig seksueel misbruik en hij onderging een gerechtelijk psychiatrisch onderzoek, waar natuurlijk niets anders uit naar voren kon komen dan dat hij zwaar psychotisch was. En inderdaad. Als psychopaat kwam hij onder een gevangenisstraf uit, hij werd veroordeeld tot tbs en belandde in een inrichting waar hij in ieder geval zijn leven niet riskeerde. Kindermoordenaars zijn niet populair onder gewone criminelen.

Deze rechtszaak was voor Mitsuko haar eerste en diepste levenscrisis. Ze moest toezien hoe haar ouders door het verdriet in slaapwandelaars veranderden. Haar mooie moeder, die de dag altijd begon met een uur ochtendgymnastiek, dijde uit alsof het verdriet van vet was gemaakt. Ze zag haar vader apathisch, met de lege blik van een boeddhabeeld, op de grond zitten.

Ze was te jong om te begrijpen dat het verdriet soms sterker is dan de woede en dat was haar redding. Terwijl andere meisjes van haar leeftijd naar jongens smachtten, verlangde zij ernaar de principes van de rechtvaardigheid te begrijpen. Waar sprak een wet zich over uit: de handeling of de dader? Voor de wet was iedereen gelijk, werd er gezegd, maar kennelijk was dat niet waar. Als je maar voldoende ziek was, kon je ongestraft iemand doden. Terwijl het bewijs dat je voldoende ziek was, vaak juist het feit was dat je iemand had vermoord. De wet beet zich als een slang in haar eigen staart.

Haar studies in Lund en later in Uppsala rondde ze in razend tempo af en met AB voor alle tentamens, het hoogst haalbare. Eén keer niet, toen kreeg ze slechts BA, dat was een minder omvangrijk vak geweest dat in wezen ging over hoe je juridische naslagwerken moest gebruiken.

Ze liep, als enige dat jaar, stage bij de rechtbank in Stockholm. Daarna solliciteerde ze naar een baan bij het Openbaar Ministerie. Ze had de beste papieren van allemaal.

Nu had ze er ruim twee jaar gewerkt. Geen belangrijke zaken tot nu toe, maar toevallig had ze dienst, juist toen de vrouw in de plastic zak werd gevonden. Het werd haar eerste zaak, haar eerste grote zaak.

Een jonge hoofdinspecteur, een jonge officier van justitie.

'Het lijkt wel een peuterspeelzaal', had Thomas gemopperd.

Maar het zou niet lang duren voor hij zijn mening herzag.

21

De aanlegplaats op Ekerö was een stuk landelijker dan die aan de kant van Vårby. Het was net als aankomen op Fårö, dacht Östen. Alleen het mannetje dat bospeen verkocht, ontbrak.

Het café was een houten gebouw. In de hal werd een aantal bladen verkocht, maar de aanplakbiljetten waarmee die bladen om aandacht riepen, waren al een tijdje niet ververst. Een ervan betrof zelfs een weekbladuitgave van een jaar geleden. Niet dat het iets uitmaakte. De actuele aanplakbiljetten gingen over een beroemde zangeres en haar man, het overwinterde exemplaar had hetzelfde onderwerp.

Het was een volkomen oninteressant detail, maar toch riep het bij hen beiden het gevoel op dat het leven keer op keer hetzelfde liedje is, in het bijzonder hún leven. Een vederlichte teleurstelling over alle mogelijkheden die op niets uitliepen, zonder dat je iets anders kon doen dan het van een afstandje zien gebeuren.

Er waren geen gasten in het café. De bediende was een jongeman die met opperste concentratie een stripblad aan het lezen was, alsof hij een vergelijking van Einstein probeerde te doorgronden. Om er zeker van te zijn dat niemand hem zou storen, had hij bovendien zijn oren gewapend met een koptelefoon.

'Eén ding is zeker. Mocht deze jongen al iets gezien hebben, dan zal hij zeker niets hebben gehoord.'

Östen bleek nog dichter bij de waarheid te zitten dan hij

al bang was. De bediende ging altijd meteen na het werk naar huis, hij kon zich van vorig jaar november niets herinneren, hij kon zich nauwelijks herinneren dat het vorig jaar überhaupt november was geweest, maar ineens klaarde zijn gezicht op.

'Nu herinner ik het me!' Hij zei het met een trotse blijheid in zijn stem, alsof hij een samenzwering tegen de minister-president van het land onthulde.

Ze wachtten af.

'Dat was die minibus, die er bijna in donderde... Het zeek van de regen... Ik rende naar buiten, maar in plaats van me te bedanken, scheurde die idioot weg alsof hij peper in zijn reet had.'

Weer die minibus!

'Kun je je verder nog iets herinneren? Kon je zien of er nog meer mensen in de auto zaten? Heb je het nummerbord gezien? Was het een Zweedse auto?'

Even kwam de jongeman in de verleiding er een mooi verhaal van te maken, hij bevond zich nog steeds in de wereld van het stripverhaal en dan had hij zijn maten straks weer iets te vertellen, maar nu hij de koptelefoon van zijn hoofd had afgehaald, kreeg hij zijn verstand weer terug.

'Nee... Ik had het idee dat er nog iemand in de auto zat... een vrouw, maar ik weet het niet zeker... Het nummerbord heb ik niet gezien... had ik geen tijd voor.'

'Hoe laat was het?'

'Tja, het zal even na elven geweest zijn... ik stond op het punt naar huis te gaan.'

'Met de auto?'

'Ja.'

'Kon je zien waar hij naartoe reed?'

'Nee. Hij reed als een gek.'

'Kon je zien welk merk het was?'

'Ze zien er tegenwoordig allemaal hetzelfde uit. Het zou een japanner geweest kunnen zijn... zo een die eruitziet als een truffelzwijn.'

Maria noteerde zijn naam en adres, voor het geval dat.

Toen vroeg de jongeman met de intimiteit van iemand die net behulpzaam is geweest: 'Gaat het om die moord?'

Precies op dat moment kwam de veerboot en moesten ze aan boord. Vanuit het westen kwamen donkere wolken opzetten. Zou het gaan regenen?

Eén ding was duidelijk. Ze moesten die minibus te pakken krijgen. Was de bestuurder de moordenaar? Dat was mogelijk. En de vrouw in de auto? Wie was zij? Het slachtoffer? Dat zou betekenen dat ze ergens tussen elf uur 's avonds en drie uur 's nachts was vermoord. Misschien wel in diezelfde minibus. Misschien ergens anders. Maar ze zou ook een handlanger kunnen zijn. En wat deden ze op Ekerö? Waren ze erheen gekomen om het lijk te dumpen? En waarom Ekerö? Woonden ze daar? Of was het alleen maar toeval?

Ook al zou alles alleen maar toeval zijn, dan nog viel het toeval nooit uit in het voordeel van de politie. Dat wisten ze.

Ze streek haar hand over zijn nek. 'Je moet naar de kapper.'

De aanraking veranderde zijn humeur van een sombere misantropie in een voorzichtig optimisme.

'Maria... waar vindt men een vrouw zoals jij?'

'Tja, wie het weet...!'

De zelfspot in haar stem bleef onopgemerkt als een oud aanplakbiljet.

22

De eerste regendruppels vielen op het moment dat ze haar Fiat voor een tatoeagestudio op de Hägerstensvägen parkeerde. Een rode Chinese draak die op het raam geschilderd was, toonde de kunst van de tatoeëerder. Tatoeages waren in de mode. Het stoorde haar niet. Ze vond het moeilijker piercings te accepteren.

Een meisje van achttien kwam net de studio uit gelopen. Of moest je salon zeggen? Kristina zag dat ze een ringetje door haar onderlip had. Ze huiverde van onbehagen. Waarom deden de jongeren tegenwoordig nou zoiets?

Om gezien te worden, zei men. Maar daarmee word je niet gezien, je wordt bekeken. Was dat wat ze wilden? Ze had er haar vraagtekens bij.

Op dat moment had ze overal vraagtekens bij.

Het was nog maar kwart voor één. Ze werd niet voor één uur verwacht. Ze kon gerust tot een paar minuten na enen wachten. Het wachten is de belangrijkste compagnon van de politie, want wie politiebezoek verwacht, is niet langer onbekommerd. Hij gaat zichzelf na, zijn omgeving. Hij geeft antwoord op vragen die nog door niemand zijn gesteld.

Ze kon dus het best een ommetje maken. Het was

langgeleden dat ze voor het laatst in deze buurt was geweest. Toen ze een tiener was, werd dit deel van Stockholm als probleemgebied gezien. Er woonden alcoholisten, kruimeldieven, helers en vroegtijdig gepensioneerden. De huizen raakten in verval.

Daar was verandering in gekomen. Er stonden nieuwe winkeltjes aan weerskanten van de Hägerstensvägen, die een aanzienlijke facelift had ondergaan met parkeerplaatsen en een verharde middenberm. De huizen waren gerestaureerd. Er waren meerdere kleine lunchrestaurants gevestigd en een oud café met een uithangbord, waarop koffie met iets lekkers voor slechts vijftien kronen werd aangeprezen.

Wat zou koffie met zóiets lekkers kosten? vroeg ze zich ondeugend af, met een schuin oog op een groepje jongemannen die bij elkaar waren gekomen om lottoformulieren in te vullen en wier gezichten een vertrouwen in hogere machten uitstraalden dat slechts bij werklozen te vinden is.

De videotheken hadden het zo te zien moeilijk. Drie films voor slechts vijfenveertig kronen, mocht je daar zin in hebben.

Het kleine stukje van de Manhemsgatan tussen de Hägerstensvägen en de Vapengatan zou onaanzienlijk zijn geweest, ware het niet dat het in tweeën wordt gedeeld door een miniatuurplein waar mooie, oude hulstbomen groeien en een paar jongere moerbeibomen. In het midden staat een beeld van een naakte jongen die zich tevreden uitstrekt voor een fontein die water naar hem spuit, geheel in strijd met de renaissancistische traditie waarin het altijd de jongen is die spuit, bij voorkeur naar een vrouw.

Kristina keek vanaf een bankje naar het huis waarin tandarts Marja Ragosin praktijk hield. Het was een mooi, geel huis, waarschijnlijk ergens begin twintigste eeuw gebouwd. Boven de hoofdentree had de architect, net als boven de ramen, rechthoekige granietstenen laten plaatsen, die eruitzagen als opgetrokken wenkbrauwen. Het huis keek terug naar wie het aanschouwde.

Waarschijnlijk deed Marja Ragosin dat ook. Kristina ving een glimp op van een silhouet achter een wit gordijn op de eerste verdieping. Marja Ragosin wist alleen niet op wie zij wachtte, net zoals Kristina niet wist wie er op haar te wachten stond.

Ze had geprobeerd om zich nog geen mening te vormen, geprobeerd om haar aandacht niet alleen te richten op het bevestigen van een van tevoren gevormd, maar ongegrond beeld van de persoon die ze zou gaan storen, met als enige reden haar eigen wens de zaak zo snel mogelijk op te lossen. Toch waren de beelden haar hoofd in geslopen: uit films die ze had gezien, uit boeken die ze had gelezen. Haar hoofd had zijn maagdelijkheid al lang geleden verloren.

Vroeger, toen ze nog echt jong was, had ze haar grootvader vaak iemand horen prijzen met de woorden: 'Hij is een man uit duizend!'

Waren er nog mannen uit duizend zoals grootvader die bedoelde? Was zij zelf een uit duizend?

Een van de redenen voor dit gedachtespel was om de tijd doden en dat was haar gelukt.

Ze stond haastig op en merkte dat het bankje een subtiele weerstand bood. Ze was op een stuk kauwgom gaan zitten. Het verbaasde haar dat ze niet geïrriteerd raakte, maar ervan walgde: alsof iemand op haar gespuugd had of nog erger.

Ze draaide haar rok een slag om de schade op te nemen. Een gelige klomp bestaande uit enkele miljarden onstabiele moleculen en een grote hoeveelheid onverwoestbare bacteriën was als een ouderwets lakzegel aan haar achterwerk blijven kleven.

Er viel weinig aan te doen. Ze schraapte de klomp met haar zakmes los, maakte het lemmet nauwkeurig schoon en draaide de rok resoluut nog een kwartslag. Liever een vlek die je zelf ziet, dan een vlek die alleen door alle anderen wordt gezien.

En inderdaad. Het eerste waar Marja Ragosins oog op viel toen ze de deur opende, was de tot de verbeelding sprekende vlek, maar Kristina weerstond de verleiding om tekst en uitleg te geven.

Tandarts Ragosin ging gekleed in een zedige witte doktersjas, maar had een paar kokette concessies gedaan. De bovenste twee knoopjes waren, net als de onderste twee, ongemoeid gelaten. Ze was een jaar of veertig, vijfenveertig, haar handdruk was stevig en droog. Haar haar was heel kort geknipt, als de mariniers in Amerikaanse films. In haar paspoort stond waarschijnlijk dat haar ogen gemêleerd waren, want ze hadden een onbestemde, lichtbruinige kleur. Kristina moest aan geroosterde walnoten denken, wat haar direct terug deed denken aan de straten in een herfstig Parijs, vier jaar geleden, hand in hand met Johan, toen hun geluk nog jong en hun liefde voor eeuwig was.

'Ik zal u niet lang ophouden. We onderzoeken een moord, het slachtoffer is een vrouw met onbekende identiteit. We hebben redenen aan te nemen dat ze uit...' Op dit punt aangekomen aarzelde ze. Zou ze Rusland of Estland zeggen? Ze koos ervoor niets bij voorbaat uit te sluiten. 'Uit uw land komt. Ook weten we dat ze haar tanden mogelijk in Zweden heeft laten restaureren...'

'Ik begrijp het. Ik zou net zo geredeneerd hebben', zei Ragosin meedenkend. 'Kunt u mij een foto laten zien?'

Kristina had er rekening mee gehouden en een foto meegenomen. Ragosin keek er lang naar. Af en toe glimlachte ze naar Kristina alsof ze zich wilde verontschuldigen dat ze niet sneller was. Ze gaf de map zonder iets te zeggen terug. Kristina wachtte af.

'Ik weet het niet helemaal zeker... ik geloof dat ik haar gezicht eerder heb gezien... maar waar? Hier? In de orthodoxe kerk? In café Walewska, waar we zo af en toe afspreken? Ik kan het u niet zeggen. Alhoewel haar haar anders is... maar jonge vrouwen verven het soms... U hebt niet toevallig een röntgenfoto van haar gebit?'

Ook daar was aan gedacht. Kristina haalde een andere map tevoorschijn.

Deze keer reageerde tandarts Ragosin meteen heel stellig. 'Nee! Ze is niet bij mij geweest. Dit is het werk van een prutser. Waarschijnlijk een Rus!'

Ze klonk zeker van haar zaak.

'Waarom juist een Rus?'

Ragosin lachte kort. 'Ha! Het zijn de slechtste tandartsen ter wereld. Ze bekijken een mond zoals Stalin Siberië bekeek: als een goudmijn. Stalin heeft weliswaar miljoenen mensen in Rusland vermoord en wat dat aangaat ook in mijn land, maar die Russische tandartsen hebben ervoor gezorgd dat alle Russen díé het overleefden nu tandeloos zijn. Kijk hier eens!' Ze wees naar een vulling. 'Hier sluit de vulling niet aan. Daar verzamelen zich bacteriën. Als het slachtoffer drie maanden langer had geleefd, was die kies los gaan zitten.'

'Ik dacht eerlijk gezegd dat u zelf Russische was.'

Ragosin keek haar verschrikt aan. 'Godbewaarme!'

'Waar komt u dan vandaan?'

'Ik kom uit Polen.'

'Dus het slachtoffer zou Poolse kunnen zijn?'

'In geen geval. Een Poolse zou nooit naar een Russische tandarts gaan!'

'Ik begrijp het. Het spijt me dat ik u heb moeten storen.'

Het leek er niet op dat ze Ragosin bijzonder gestoord had. Kristina had geen wachtende mensen gezien en ook geen wachtkamer in de gebruikelijke zin van het woord, alleen een soort salon met twee gemakkelijke, leren fauteuils en drie stoelen van rood pluche. Was deze vrouw wel echt tandarts?

Wanneer ze geen tandarts was, dan toch zeker gedachtelezer.

'U vraagt zich zeker af of dit werkelijk een tandartspraktijk is. Het ziet er eerder uit als een boudoir. En dat is het ook. Hier zit men een tijdje voordat men bij mij binnenkomt om blootgesteld te worden aan mijn boortjes, naalden, messen en allerhande schroeven. Ze zullen voor me zitten met een dot watten in hun mond, die ze als lallende idioten opensperren terwijl ze aan me overgeleverd zijn. Daarom vind ik dat ze het recht hebben om eventjes lekker te zitten. Om een glossy tijdschrift te lezen in plaats van een blad over loslatende tanden of een weekblad van een jaar oud. Dit is het provinciehuis niet. Dit is de praktijk van tandarts Ragosin!'

De woorden kwamen er in rap tempo uit, een soort verbale slalom waarbij de eindstreep werd aangeduid met een glimlach.

Hoofdinspecteur Vendel kreeg ineens door dat het nog een hele klus zou worden weg te komen. Het haar! Het kortgeknipte haar. De tandarts stond met haar te flirten.

Wie lucht zaait, zal wind oogsten. Maria Valetiera zei dat altijd, een spreuk die ze van haar Sardische grootmoeder had meegekregen.

Je waagt een poging en dit krijg je ervan. Kristina was naar de tandartspraktijk gekomen in de hoop een spoor van een vermoorde vrouw te vinden en leek nu onderweg naar het bed van de Russen hatende eigenares.

Hilfe, dacht ze in het Duits, omdat de meisjes in haar klas dat zeiden wanneer de leraar Duits, die erg lange armen had, in aantocht was.

'Kent u misschien Russische collega's in Stockholm?'

'Ik ga niet met Russen om!'

'Zou deze keramische vulling in Rusland gemaakt kunnen zijn?'

'Dat denk ik niet.'

'Goed. In dat geval zal ik u niet langer ophouden.'

Maar Marja Ragosin wilde worden opgehouden.

'Papa!' riep ze in de richting van het woongedeelte en ze keerde zich toen weer om naar Kristina. 'Mijn excuses voor mijn onbeleefde gedrag, maar wilt u misschien iets te drinken? Een kop koffie? Limonade?'

Kristina was volop bezig haar terugtocht te organiseren, maar wilde niet graag als een Zweedse boerenpummel overkomen. Bovendien was ze nieuwsgierig naar de vader van de tandarts, die net de kamer in kwam, onberispelijk gekleed in een lichtblauw kostuum met bordeauxrode das, die niet bij zijn kostuum maar wel goed bij zijn neus kleurde.

Vader Ragosin, die haar telefoontje had beantwoord, was een soort manusje-van-alles voor zijn dochter. In Polen was hij in dienst geweest van de geheime politie en daarom had hij, toen het communisme viel en het katholicisme weer opkwam, geen andere keus dan naar zijn dochter in Zweden te verhuizen.

Hij serveerde de thee in hoge glazen met metalen houdertjes en met de ontspannen houding van iemand die nog hogere dames en heren geserveerd heeft.

Kristina mocht hem wel, hij deed haar denken aan haar eigen vader en ze was niet van plan hem te verhoren, maar Marja Ragosin, die zich bewust was van het goed in gezichten getrainde geheugen van haar vader, vroeg haar om de foto's nogmaals te laten zien.

Jerzy Ragosin kon zich de vele grofkorrelige dagen in het onaanzienlijke kamertje van de veiligheidspolitie, waar hij, gebogen over waardeloze kiekjes die van grote afstand genomen waren, studenten, priesters, werfarbeiders en andere gewone mensen identificeerde, nog goed herinneren. Een dun straaltje van de zelfgenoegzaamheid van toen kwam terug, zijn gezicht liep nog roder aan en hij keek met een bijna metafysische nieuwsgierigheid naar de dode vrouw.

Hij klonk ook zeker van zijn zaak toen hij zei dat de jonge vrouw niet in de praktijk was geweest en dat hij haar ook niet elders had gezien. Hij ervoer het als een nederlaag en verontschuldigde zich. 'Ik begin oud te worden.'

Dat wat noodzakelijk is, is triest, en wat onnodig is verraderlijk, dacht Kristina terwijl ze bedankte voor de thee en opstond om weg te gaan. Ze had een krachtige slag in de lucht gedaan met als enige beloning een lange, stevige handdruk van een Poolse voormalige aanbrenger en een nog langere en steviger handdruk van diens dochter, wier spiegelende blik, dat moest ze toegeven, het prikkeldraad rond haar geslacht had neergehaald en de dauwdruppels van de lust had laten verschijnen op de daarvoor gebruikelijke plek.

23

Juist op het moment dat ze rond de vergadertafel gingen zitten, nam de regen in hevigheid toe. Het leidde tot een timide stilte, alsof het hun fout was. De lente weigerde gewoon zich te laten zien. Een zekere gelatenheid nestelde zich in hun ziel, en pas toen Kristina de verse koffie in de bekers schonk, kwam een zekere levenslust in hun ogen terug. Alleen officier van justitie Mitsuko Öberg-Namamoto bedankte. Ze had zakjes met haar lievelings-thee meegenomen. Nu keek ze op haar horloge. Ze was alleenstaande moeder en werd geacht haar dochter over een uur bij het kinderdagverblijf aan de andere kant van de stad op te halen. Er was geen tijd te verliezen.

'En, hoe staan we ervoor?' Ze glimlachte terwijl ze het zei.

Kristina gaf een samenvatting. Ze wisten niet wat de identiteit van het slachtoffer was. Ze wisten niet wat de plaats van het misdrijf was. Ze waren niet zeker van het tijdstip van de moord. Ze dachten dat de moord ergens in november had plaatsgevonden, dat er een minibus was gesignaleerd vlak bij wat de dumpplaats zou kunnen zijn. De rest was giswerk.

Mitsuko trok de enige aannemelijke conclusie en stond op om weg te gaan. 'Mij hebben jullie dus voorlopig nog niet nodig.'

Daarna keerde ze zich tot Kristina. 'Jullie krijgen die idioot wel te pakken. Al kun je je afvragen wat het nut ervan is.'

Nog maar net een week geleden had de rechtbank haar tenlastelegging veranderd van doodslag in zware mishandeling en dood door schuld, in het geval van een man die een andere man op klaarlichte dag had neergeschoten.

Het viel niet te bewijzen dat het om een levensberoving met voorbedachten rade ging, was de mening van de rechtbank. De vraag was of dat überhaupt te bewijzen was. Hoe kun je vaststellen dat er sprake is van een zekere mentale toestand, als je niet bereid bent de handeling te zien als een bewijs daarvan?

Soms kreeg je het gevoel dat veel rechters de 'voorbedachten rade' als iets tástbaars zagen, waarvan het bestaan onafhankelijk van de handelingen van de dader te bewijzen was. De boeven maakten daar maar wat graag gebruik van en beweerden regelmatig dat ze zomaar wat schoten en daarbij per ongeluk iemand hadden gedood. Het verst daarin was een vent gegaan die op zijn vrouw had geschoten en haar zwaar had verwond, maar de 'voorbedachten rade' ontkende met de bewering dat zijn schot niet bedoeld was om haar te raken, maar om te schampen.

Ook Kristina maakte zich zorgen. Een zekere mate van gezond verstand was verloren gegaan. Hoe haal je dat weer terug? Ze wist het niet. Ze was bereid de letter van de wet te respecteren, maar de wet was meer dan letters alleen. Aan de andere kant, wat is gezond verstand anders dan achterhaalde inzichten die tot verkalkte waarheden zijn verworden?

'We hebben in ieder geval een schattige officier van justitie.' Östen zag te laat in dat hij dat beter voor zich had kunnen houden. 'Eh... ik bedoel, ze lijkt verdomd aardig...' mompelde hij blozend.

In vroeger tijden had ieder gilde zijn beschermheilige. De politie had zich er nooit een aangeschaft, wat echter niet verhinderde dat ze er toch een hadden. De telefoon ging namelijk over en het was de Gouden Tor, de patholoog-anatoom. Kristina zette de telefoon op de luidspreker zodat iedereen in de kamer kon meeluisteren.

De Gouden Tor had geen haast om zijn punt te maken. Hij wilde eerst het hele verhaal vertellen.

Hij had een assistent die tijdens zijn studietijd af en toe een bijbaantje als medewerker bij de reinigingsdienst had gehad, met name tijdens de zomervakanties. Deze assistent was heel aardig en bovendien een soort expert op het gebied van plastic zakken. Hij beweerde alle soorten die er waren te hebben gezien, maar niet het soort waarin het lijk was verpakt. Hij wist zeker dat deze zakken niet in Zweden waren gefabriceerd. Het moest daarom tamelijk gemakkelijk zijn diegene die ze op de markt bracht, als zo iemand er was, te lokaliseren.

'Dat is goed nieuws, Gustav. Dank je wel!'

'Geef me een belletje wanneer je iets gevonden hebt!' riep hij.

Dat temperde haar dankbaarheid een paar streepjes. Ze verafschuwde dergelijke uitdrukkingen. Geef me een belletje, in plaats van bel me. Bekijk dit even, in plaats van controleer dit, de grijze cellen aan het werk zetten, ik zit even wat denkwerk te verrichten, in plaats van ik denk na.

Het irriteerde haar wanneer volwassen mensen op verantwoordelijke posten op die manier praatten. Het was een inflatie van de verantwoordelijkheid. Tot nu toe weliswaar alleen maar taalkundig, maar voor hoelang nog? Want wie kan een ander ter verantwoording roepen voor een kijkje of het aan het werk zetten van een paar grijze cellen? Wie kan woest worden om een nooit ontvangen belletje?

Daarna richtte ze zich tot Maria en Östen. 'We moeten een lijst hebben van alle in Huddinge geregistreerde minibusjes. Daarna gaan we verder met Ekerö. Degene die naar die aanlegplaatsen rijdt, woont waarschijnlijk in de omgeving. Er zijn er verder niet veel die ze weten te vinden. Het is hoe dan ook een poging waard. Wat vinden jullie ervan?'

Ze hadden eraan gedacht, maar waren tot de tegenovergestelde conclusie gekomen, dat het net zo goed iemand kon zijn die verder weg woonde en een bepaalde plek koos, juist met de bedoeling de politie op het verkeerde been te zetten, mocht hij gezien worden.

Maar waarom zouden ze dat zeggen?

24

Georg Selin was rond de zestig en tevreden met zijn leven. Zijn grote bos kroeshaar was volledig wit en deed hem lijken op een Nobelprijswinnaar die zich niet meer heeft gekamd sinds hij de prijs in ontvangst had genomen. Twintig jaar geleden was zijn haar zwart en had hij een andere naam. Hij heette Goran Selinevits. Hij was via Hamburg, waar hij een tijdje als pooier en hitman in zijn onderhoud had voorzien, naar Stockholm gekomen. Het was een leven vol gevaar geweest. Het was gemakkelijker om samen met zijn Duitse vriendin Margaretha, die optrad onder de naam Maggie, een liveshow op te zetten.

Het was de gouden beginperiode van de porno-industrie. Overal doken seksclubs op. De artiesten, want zo noemden ze zichzelf, verdienden een aardige boterham, maar Goran was slim genoeg om te zien dat het echte grote geld bij anderen terechtkwam, bij de eigenaren van de clubs of bij de producenten van de pornofilms en pornoblaadjes.

De markt in Duitsland werd echter streng gecontroleerd. Een nieuwkomer zoals hij hoefde er niet op te hopen een plekje te veroveren aan de overladen tafel. Daarom verhuisde hij naar Zweden. Van zijn spaargeld opende hij zijn eerste club: De Zwarte Kat. Margaretha en hij waren in bed op elkaar uitgekeken, maar bleven zuiver bedrijfsmatig partners.

Zij zorgde voor de artiesten van de club, terwijl hij voor de cliëntèle zorgde. Hij liet niet zomaar iedereen binnen.

Zijn club moest het koninklijk theater van de porno-industrie worden. Hij betaalde belasting net zoals iedere andere zakenman dat deed en troggelde de staat geld af zodra hij daar kans toe zag.

De Zwarte Kat werd een begrip in Stockholm. Politici, buitenlandse hoogwaardigheidsbekleders en zakenlui werden op een bezoekje getrakteerd om te genieten van de geavanceerde liefdesacts die er werden geboden. Mochten die de inspiratie oproepen en wilde men meer, dan kon altijd op een zekere coulance bij de artiesten worden gerekend, al deden die daarmee meer dan ze officieel mochten.

Goran Selinevits werd Zweeds staatsburger, trouwde met Margaretha en veranderde zijn naam in Georg Selin. In zeven jaar tijd had hij drie nachtclubs opgezet en een studio waar hij films en tijdschriften produceerde. Hij werd rijk, zo rijk dat hij kon verhuizen naar het chique Djursholm, al leverde dat wel het nodige gemompel in de omliggende villa's op.

Maar geen geluk is eeuwigdurend. Een van zijn artiesten werd op brute wijze door haar pooier vermoord. Er kwam een politieonderzoek, een rechtszaak, slechte publiciteit. Daarna kwamen de belastingheertjes, militante feministen en moraalridders – de een na de ander en soms alle drie tegelijk.

De seksclubs werden anachronismen. Maar de tijdschriften en films deden het net zo goed als voorheen, zo niet beter. De zonde had zich opnieuw laten terugsturen naar de privé-sfeer.

Georg Selin zag geen aanleiding in paniek te raken. Ordelijk wikkelde hij zijn zaakjes af, inde zijn kapitaal en verdween naar Portugal, waar hij in onroerend goed investeerde. En opnieuw verdiende hij grof geld en het levenswiel draaide verder. In het begin van de jaren negentig, na bijna vijftien jaar afwezigheid, doken de seksclubs weer op. Georg was absoluut niet van plan die boot te missen.

Folie du Nord doopte hij zijn nieuwe club. Deze keer schiftte hij zijn artiesten en cliëntèle nog strenger. Eersteklas meisjes, eersteklas klanten. Uitsluitend buitenlandse artiesten en zo goed als uitsluitend buitenlandse klanten. En wederom verdiende hij geld en ging op zoek naar een vrijstaand huis in Djursholm.

Hij was dus tevreden met zijn leven en had geen enkele reden om ongerust te zijn toen hoofdinspecteur Vendel en politievrouw Maria Valetieri in zijn werkkamer aan hem, diep neergezonken in een lederen fauteuil, werden voorgeleid.

Zijn gorilla vatte post bij de deur, terwijl Georg informeerde of de dames iets wilden drinken. Toen de dames nee zeiden, wuifde hij zijn factotum weg.

Aan de muur hingen foto's van de artiesten van de club in meer en minder gewaagde poses. In een groot aquarium zwom een hoeveelheid vissen, die zo te zien druk bezig waren om elkaar op te eten.

Kristina durfde er niet op te hopen van deze gelikte pooier wezenlijke informatie te krijgen. Ze liet hem de foto's van het slachtoffer vooral voor de vorm zien. Ze aasde op iets anders. Ze wilde de meisjes die er werkten spreken. Daarvoor had ze Selins toestemming niet nodig, maar het zou beter zijn wanneer hij niet meteen naar advocaten zou gaan bellen. Vandaar dat ze een en al vriendelijkheid en glimlach was en Selin uitlegde dat hij zich nergens zorgen over hoefde te maken, wat hij al wist.

Het was nog maar tien uur en de activiteiten waren nog niet echt op gang gekomen, al hadden de meeste meisjes zich al in een rij aan de bar opgesteld. Op hun hoge hakken en met hun minirokjes zagen ze eruit als witte kwikstaarten op congres.

'Hoe had u het gedacht?' vroeg Selin, die accentloos Zweeds sprak, al had hij nooit een formele opleiding genoten. 'Zullen we de meisjes een voor een hierheen roepen, of zullen we hun kant op gaan.'

Kristina gaf er de voorkeur aan onder vier ogen met hen te praten, maar Selin deed alsof hij daar niet aan had gedacht. Maar gedane zaken nemen geen keer. Hij liet zijn kamer galant aan hen, zette twee flesjes Perrier voor hen neer en liep de kamer uit. Ze zagen hoe hij met de meisjes praatte en twee minuten later stapte de eerste naar binnen.

Ze kwam uit Thailand, sprak Engels en had niets interessants te zeggen. Ze lieten haar de foto's zien, ook al verwachtten ze er niets van aangezien het meisje nog maar een maand in Zweden was.

Het bleek dat Selin een artiest maar zelden langer dan drie maanden hield, dat maakte deel uit van zijn policy: kortlopende dienstverbanden, maximale winst, minimale kosten.

Het tweede meisje kwam uit Noorwegen, wat Kristina erg verbaasde.

'Mijn god, wat doe jíj hier? Jullie hebben toch bakken met geld, daar in Noorwegen?'

'Niet genoeg voor iedereen. Bovendien doe ik niets onwettigs!'

Maria spuwde vuur en vlam. 'Wie heeft het hier over de wet? De vraag is waarom je ervoor kiest hierheen te komen om als matrasje te werken, als je thuis een mooie baan zou kunnen hebben!'

De Noorse schudde met haar haar. 'Ben je wel eens in Noorwegen geweest?'

'Nee.'

'Houden zo!'

Kennelijk zijn niet alle Noren patriotten.

'Bovendien ben ik geen matrasje. Ik ben artiest.'

'En ik ben de paus!' Maria overdreef lichtelijk.

Kristina liet de foto's zien. 'Zo vergaat het sommige artiesten.'

Het meisje keek weg. 'Ik heb dit mens nooit gezien.'

Ze wisten dat ze de waarheid sprak. Ze was pas een paar maanden in Zweden.

Er waren nog drie meisjes over. Degene die het eerst binnenliep, kwam uit Brazilië. Ze was een week geleden begonnen met werken. Haar benen waren net zo lang als de Amazone, zodat Kristina genoegen nam met de vraag waar ze haar panty's kocht.

De volgende artiest kwam uit Roemenië. Niets.

De vijfde kwam uit Polen, had hier drie maanden gewerkt en was op weg naar huis waar ze in een kerkkoor zong. Niets. Behalve één ding: er was nog een artiest, die vanavond niet was gekomen omdat ze een zware verkoudheid had opgelopen.

'Weet je waar ze vandaan komt?'

'Uit Estland.'

'Weet je dat zeker?'

'Ja. Uit Tallinn.'

'Waar woont ze?'

'Dat weet ik helaas niet.' Iets in haar stem verried dat zij zich niet met dat soort gezelschap ophield. 'Maar meneer Selin weet het zeker wel.'

En dat deed hij ook.

Het betrof een van zijn schnabbels. Hij regelde onderdak voor zijn artiesten en het zoutgehalte van zijn huren kon concurreren met dat van de Dode Zee. Hij had afspraken met een aantal hotelletjes, waar de artiesten hun intrek namen, één per hotel omdat hij niet wilde dat ze in hun vrije tijd zouden samenklieken. De artiesten betaalden hem en hij betaalde de hotelletjes. Er bleef het nodige aan de strijkstok hangen.

Hij was er daarom minder gelukkig mee het adres te moeten verstrekken. Aan de andere kant was hij een man die wist wanneer hij niets te kiezen had.

Kristina en Maria gingen even discreet weg als ze waren binnengekomen. Het etablissement was nog steeds leeg, maar een luidruchtig gezelschap buitenlandse heren was zojuist op weg naar binnen, begeleid door een rijzige heer die ooit minister van Handel was geweest. Toen hij hen in het oog kreeg, riep hij: 'Hé, meisjes! Jullie gaan toch niet weg, net nu wij komen?'

Ze zeiden niets. Wat hadden ze moeten zeggen?

Alleen Maria mompelde wat. 'Wat doe je eraan? Als je de hele dag in de weer bent met kippenvoer, word je uiteindelijk zelf voor een kip aangezien.'

Kristina hoefde er niet naar te vragen van wie die wijsheid afkomstig was.

Het regende weer en ze liepen snel door naar Kristina's auto. Ze hadden haast om de vrouw uit Estland een bezoekje te brengen. Het was halfelf.

Kristina was bezorgd. 'Mitsuko zal dit niet leuk vinden.'

'Nee.'

'Er moet een goede reden zijn om mensen midden in de nacht te storen.'

'Ja.'

'Eigenlijk is er geen haast bij.'

'Nee.'

'Misschien moesten we het maar laten zitten...'

'Ja.'

Bij de auto aangekomen wachtte hun een onaangename verrassing. Hoofdinspecteur Vendel had een bon voor fout parkeren gekregen.

'Allemachtig, midden in de nacht!'

'Boetes horen bij het bestaan!'

Er zat nauwelijks enige ironie in Maria's stem.

25

Een heel stuk aangenamer was de verrassing die Östen Nilsson te wachten stond. Het was halfelf en hij was op weg naar huis. Hij had een aantal uren doorgebracht in Harry's Bar in het centrum van Huddinge. Hij vond het ondraaglijk alleen in zijn tweekamerappartement te zitten. Hij was de eeuwige motorwedstrijden van Eurosport zat. Hij was zichzelf zat.

Toen hij de kortere weg nam door het park, liep hij de Eenzame Ridder tegen het lijf.

Hij had hem zo genoemd omdat deze man, weer of geen weer, altijd een rijbroek en rijlaarzen droeg. Het enige wat ontbrak was een paard. In plaats daarvan had hij een hond, een fel keffende, grijswitte poedel met albino-ogen en een loopneus die hij in iedere stronthoop stak die hij tegenkwam.

'Hé, hallo. Een wandelingetje aan het maken?'

De Eenzame Ridder moest even nadenken of hij dat deed. 'Nee. Maar de hond moet de avondkrant lezen.'

Op een goeie dag word ik net als hij.

Al tien dagen had hij niets van Eva Trollén gehoord. Dat was op zich niets nieuws. Naar eigen believen liep ze zijn leven in en uit. Hij had haar dat recht gegeven. Nieuw was dat hij zijn verlangen niet langer kon beheersen. Zijn wolf riep om haar maan. Wanneer zou de maan om de wolf roepen?

Ben ik vergeten het licht uit te doen? Er brandde licht in zijn slaapkamer.

Hij deed de deur open. Haar jas in de hal.

Ze had de sleutels gekregen, juist omdat ze dan zou kunnen komen wanneer ze wilde.

Het lukte hem nog net te bukken om zijn schoenen uit te doen; hij was net zo overladen met gevoelens als de boot naar Gotland tijdens de eerste week van de vakantie.

Ze wachtte hem in zijn bed op. Naakt als de zee en snoezig als Gods kleine teen. Ze was nooit na vijven bij hem thuis geweest. Hij was nooit naast haar wakker geworden.

Ze strekte haar armen naar hem uit. De kamer trok

zich samen. Hij kon geen kant op.

'Niet huilen, lieverd', fluisterde ze keer op keer.

Een uur later ging ze rechtop zitten.

'Ga je nu al weg?'

'Ik ben ontsnapt. Eigenlijk ben ik met mijn zus uit eten.'

'Zit ze op je te wachten?'

'Nee, maar het is al zo laat. Mijn man zit vast op me te wachten. Als ik om twaalf uur niet thuis ben, zou hij op het idee kunnen komen om naar het restaurant te bellen.'

'Ik begrijp het.'

'Nee. Je begrijpt er niets van!' zei ze gekwetst.

'Zal ik een taxi bellen?'

'Ik hoop maar dat hij vandaag niet met tennis heeft gewonnen!' Ze trok haar kanten slipje aan.

'Hoezo?'

'Dan wil hij vast met me vrijen. De beloning voor de overwinnaar!'

'En als hij dat wil?'

Eva zei niets.

'Ik vroeg je iets. Als hij met je wil vrijen, wat doe je dan?'

Ze streek haar panty met langzame bewegingen glad. 'Dan heb ik geen keus. Bovendien...' Ze maakte haar zin niet af.

'Bovendien wat?'

'Wanneer ik bij jou ben geweest, voelt het alsof ik met de hele wereld zou kunnen vrijen. Je maakt zo'n lust in me wakker...'

Als Östen een gesofisticeerdere man was geweest, had hij zich misschien gevleid gevoeld. Maar hij was niet zo gesofisticeerd en hij voelde zich niet gevleid. Hij voelde zich verbitterd.

Ze liep de badkamer in. Hij belde om een auto. Hij trok zijn broek aan. Hij zwaaide haar gedag.

Hij wist iets wat zij niet wist. Hij zou haar nooit meer zien. De regenboog die de lichamen van de twee geliefden verenigde, had nog maar één kleur: zwart.

De passie was hem overkomen als een verrassing. De onverschilligheid net zo. De lust was niet langzaam uitgedoofd. Die hield op zoals hij begonnen was – in een microseconde.

Een gebaar, een toonval, een half woord was voldoende. Dat wat eerder niet was, is plotseling, en wat was geweest, verdwijnt.

Hij had drie jaar van haar gehouden. Nu lukte het hem niet nog een minuut langer van haar houden.

Het verdriet over de verloren liefde hield hem de hele nacht op. Hij verschoonde het bed, maakte de badkamer schoon, liet haar geur door het open raam wegtrekken.

Tegen de ochtend plofte hij neer op de bank en sliep droomloos, tot het tijd was om naar zijn werk te gaan.

26

De entree van het hotel werd geflankeerd door een in new-ageliteratuur gespecialiseerde boekhandel en een voormalige pornobioscoop die nu was omgebouwd tot Chinees restaurant. De Drottninggatan was nog net niet helemaal verlaten. In Rydbergs Bar & Eetcafé werd een poëzieavond gehouden. Ze zagen een jonge, in het zwart geklede vrouw voor een microfoon staan. Ze stond kaarsrecht, alsof ze een stok had ingeslikt. Het applaus van het publiek was te horen, maar niet dat waarvoor ze applaudisseerden.

Kristina beklaagde zich. 'Het is langgeleden dat ik voor het laatst een paar gedichten las.'

'Ik heb nooit gedichten gelezen. Ik heb er nooit iets van begrepen.'

'En het kan nog wel zo mooi zijn.'

Maria schudde sceptisch haar hoofd. 'Voor wie?'

De deur was op slot. Een briefje informeerde geïnteresseerden dat men op de nachtbel kon drukken en dat deden ze.

Ze hoorden een zoemend geluid, duwden tegen de deur en liepen naar binnen. Het hotel bevond zich op de derde verdieping en hoger. De receptie bevond zich, ongelukkig genoeg, op de vierde etage en de nachtportier in de zevende hemel. Hij had zojuist de tiende cryptoslok uit zijn zakflaconnetje whisky genomen.

'Nee maar... hallo beste dames! Welkom, welkom!'

O mijn god, een halve Deen!

Hij was in de zestig, kort maar gezet en met een bril met dubbelfocus, waardoor hij zijn hoofd bewoog als een in het rond pikkende kip.

Ze merkten meteen dat hij van de grote vlaktes in het zuiden afkomstig was, want hij had een brede horizon.

'Ik heb een prachtige kamer voor u met een kingsize waterbed.'

Hij genoot al bij voorbaat van de zonde die op het punt

stond te worden begaan, als hij het goed had begrepen.

'We zijn hier niet voor een kamer en we zijn ook geen potten.' Maria wilde hem meteen op zijn plaats zetten.

'O, sorry. Ik dacht dat iedereen tegenwoordig pot was. Zelfs mannen. Zeg het maar?'

Ze stelden zich voor en zijn blik dwaalde voorzichtig af naar de kast waarin zijn zakflacon lag.

'We willen graag een van uw huurders spreken. Ilona Ekmanis. Is ze aanwezig?'

'Mijn god! Wat heeft het arme kind gedaan?'

Kristina realiseerde zich dat Mitsuko Öberg-Namamoto haar alleen al hierom de volle laag zou geven.

'Kunt u haar alstublieft voor ons halen?'

'Ik bel haar wel.'

Het was onmogelijk dat Ilona Ekmanis al was gaan slapen, ze nam direct op. Vijf minuten later kwam ze het kleine kamertje met de erker binnen, dat hun door de portier was toegewezen.

Haar verkoudheid kon niet verhullen dat ze een mooie jonge vrouw was met blond haar en grote blauwe ogen. Maar zij verhulde wel dat ze had liggen huilen.

Kristina moest haar kalmeren. 'Je hoeft niet bang te zijn. We zijn hier niet om je werkvergunning te controleren en je wordt nergens van verdacht. We willen je alleen een paar vragen stellen.'

Ilona knikte.

'Hoelang werk je al in Folie du Nord?'

'Binnenkort twee jaar. Maar ik heb een vergunning.'

'Maak je daar maar geen zorgen over. Hoe ben je aan dit baantje gekomen?'

'Ik ontmoette meneer Selin in Tallinn. Hij komt daar

een paar keer per jaar om nieuwe meisjes... artiesten voor zijn show te ontmoeten.'

'Maar de meesten houden er na twee, drie maanden mee op. Waarom ben jij al die tijd gebleven?'

Ilona sloeg haar ogen neer.

'Je hoeft geen antwoord te geven, als je dat niet wilt. Maar als je nu geen antwoord geeft, komen we terug om je mee te nemen naar het bureau. Als je dat liever wilt?' Maria drong aan.

'Nee, ik kan wel antwoord geven... Ik kwam hier een man tegen...'

'Hoe heet hij?'

'Is dat echt nodig?'

'Ja.'

Ilona twijfelde nog steeds. Maar toen gooide ze haar hoofd in de nek, alsof ze zojuist een eind had gemaakt aan een denkbeeldige ruzie met de betrokken man.

'Het is meneer Selin. We houden van elkaar. Maar eenvoudig is het niet. Die heks van hem is per slot eigenaar van het hele zooitje... alles staat op haar naam...'

'Hoe komt het dat je Zweeds zo goed is?'

'De ouders van mijn moeder zijn Zweden.'

'Goed.'

Er viel een korte stilte. Daarna hernam Kristina het woord. 'Nu wil ik je vragen om je goed te concentreren. Ik zal je een paar foto's laten zien. Ik wil je vragen er goed naar te kijken. Ik wil weten of je de persoon herkent.'

Ze diepte de foto's op uit haar tas en spreidde ze uit over de ronde, marmeren tafel.

Ilona, die haar kalmte hervonden had, nam haar taak serieus op. Ze boog zich over de foto's, bekeek ze langdurig.

'Ik weet het niet zeker.'

'Wat niet?'

'Ik heb haar wel eens gezien, maar niet hier... ik bedoel, niet hier, in Zweden, maar thuis, in Tallinn... Ja, nu weet ik het... ze werkte af en toe in hetzelfde hotel als ik...'

'Welk hotel is dat?'

'Hotel de Paris.'

'Heb je haar ooit gesproken?'

'Nee. Maar een ander meisje zei dat ze een zus in Zweden had, die vermoord was en hier in de buurt begraven is.'

Asknäs! Het portret op de steen. De overeenkomst tussen de twee vrouwen, dacht Kristina en de aders in haar slapen zwollen op alsof er een rivier door haar hoofd stroomde.

'Ze was dus een prostituee?'

Ilona was een welopgevoed meisje. Ze hield niet van dergelijke woorden. 'In zekere zin... dat waren we allemaal wel, maar we deden het niet met iedereen. We waren eerder gezelschapsdames... converseerden, zorgden ervoor dat die mannen zich supersexy voelden... Maar dan, als het moment daar was, dan waren ze te bezopen om ook maar iets te presteren... met name de Zweden en Finnen... Die begonnen de avond met een vrouw en sloten hem af met een fles.'

'De heer Selin duidelijk niet!' onderbrak Maria haar, met de vriendelijkheid van een wesp aan het begin van het seizoen.

Ilona barstte in tranen uit. Ze trilde over haar hele lijf.

'Het spijt me. Het was niet kwaad bedoeld.'

'Ik ben in verwachting van zijn kind. Daarom laat hij

me niet gaan. Hij heeft geen kinderen. Die heks met wie hij getrouwd is, is zo droog als een lucifer. Haar baarmoeder is net een woestijn. Hij wil dit kind houden, ook al wil ik het niet.'

Ilona was opgehouden met huilen. Ze droogde haar ogen, snoot onschuldig haar neus, zo ongeveer het enige wat ze onschuldig kon doen.

Twee vrouwen! En ze hadden niets gemerkt van dat leven dat zich in haar bevond en dat als een stille rivier haar systeem van spieren en weefsels bewaterde en haar huid mat deed glanzen als een tarweveld in het middaglicht.

'Maar dat is nog niet alles!' zei Ilona.

'Is er nog meer?'

'Het kind is niet van hem!' Er klonk een verbeten kracht in haar stem. Dit was iets wat zij en zij alleen kon. Hoe Georg Selin haar ook probeerde op te sluiten, hoe hij haar ook bewaakte, hij kon niet verhinderen dat ze zwanger werd van een ander. 'Als hij erachter komt, vermoordt hij me!'

Deze woorden, die een heel nieuw gesprek hadden kunnen inleiden, leidden in plaats daarvan tot een stilte, die opeens door Maria's hese stem werd onderbroken. 'Is er ook iets waar je géén last van hebt?'

Kristina was praktischer. Voor dit meisje en haar kind zou worden gezorgd. Ze zou niet toestaan dat een voormalig Joegoslavische liveshowartiest vrouwen op dergelijke wijze terroriseerde. Ze zou Thomas op hem afsturen voor een goed gesprek. Ze was ervan overtuigd dat Thomas daar de juiste man voor was. Onder zijn kalme uiterlijk bevond zich een gevaar dat vrouwen en kinderen misschien niet zagen, maar dat door mannen van zijn eigen leeftijd niet gemist kon worden. Een gesprek met Thomas zou Georg Selin wel op andere gedachten brengen.

Maar haar grootste zorg was nog altijd die moord. Daarom kwam ze terug op het onderwerp. 'Die vrouw die je in Tallinn zag, was ze Estse?'

'Nee, dat was ze niet. Ze was Russische... dat weet ik zeker... dat was in ieder geval wat iedereen dacht.'

'Zoals je ziet, is ze naar Zweden gekomen. Weet je toevallig hoe of waarom? Is ze hierheen gekomen om in een of andere club te werken?'

'Dat denk ik niet. Dan had ik waarschijnlijk wel iets over haar gehoord. Er zijn maar een paar clubs in Stockholm en ze was er het type niet naar om de straat op te gaan. Maar ze zou gekomen kunnen zijn als vrouw voor timesharing.'

Dat was nieuw voor hen. 'Een vrouw voor timesharing? Wat is dat?'

'Het is net als met een vakantiehuisje. Drie of vier mannen besluiten een vrouw te importeren en delen de kosten en de dagen van de week. De een krijgt maandag, een tweede dinsdag, nummer drie woensdag enzovoorts. Voor twee-, drieduizend kronen krijgen ze vier, vijf keer per maand wat ze willen. Een perfecte oplossing, ook voor de vrouw. Vaste klanten, vaste tijden, vast inkomen. Geen gezeur, geen geruzie. Iedereen tevreden... behalve natuurlijk de vrouwtjes thuis!'

Hier veroorloofde Ilona zich een lachje en op datzelfde moment ging de telefoon.

'Voor jou', riep de portier.

'Neem maar op', zei Kristina.

'Nee, dat kan wel wachten. Ik weet wie het is.'

'Wij ook', zei Maria.

Er was voor hen op dat moment niet veel meer te halen. Ze waren veel te weten gekomen, zo veel dat de identificatie van het slachtoffer niet langer zo onbereikbaar leek.

'Bedankt dat we je hebben mogen storen.'

Kristina stak haar hand uit.

'Nee, nee. Ik ben te verkouden.'

27

Toen ze het hotel uit kwamen, was het stil op straat. De nachtportier had een ironische buiging gemaakt, alsof ze hem de laatste dans hadden geweigerd.

Kristina had het prettige gevoel dat er schot in de zaak kwam. Maria niet.

'Ik wil je niet ontmoedigen, maar ik denk dat ze liegt.'

Waarom zou Ilona Ekmanis liegen? En waarom nam ze het risico om haar relatie met Selin te onthullen?

'Ze wil ons gewoon op het verkeerde been zetten, van ons afkomen. En ze nam geen enkel risico door over Selin te praten. Hij heeft het haar aangeraden. Ik zag dat hij iemand belde toen we daar weggingen. Hij is zo geslepen als een dolk, die klootzak.'

'Jij denkt dus dat zij meer weet over die moord, maar dat verbergt?'

'Nee, niet per se. Maar het eerste waar die mensen aan

denken, is hoe ze van ons af kunnen komen. Ze weten altijd wel iets waarover ze niet graag willen praten. Selin heeft alles gewoon keurig geregisseerd.'

Kristina moest toegeven dat Maria wel eens gelijk zou kunnen hebben. Ilona Ekmanis' gedrag had iets érg ongedwongens gehad, ondanks dat ze zichzelf beschreef als érg gedwongen.

Ze gaf haar een schouderklopje. 'Je bent een vreselijk goede politievrouw, Maria!'

Een vreselijk goede politievrouw, die thuis klappen kreeg van haar man, een paar keer per week werd verkracht, die bezig was verliefd te worden op iemand die haar duidelijk niet zag staan. Een vreselijk goede politievrouw, die nog steeds vasthield aan een tienerdroom, ook al was die veranderd in een nachtmerrie.

'Ja ja... Om met mijn oma te spreken, boten drijven, maar drollen ook! Je kunt nergens van op aan.'

Kristina vernam een heel oude klaagzang in deze zakelijke, enigszins nonchalante stem. Ze herkende hem. Het was de vrouwelijke erfzonde, niet goed genoeg zijn, nooit tevreden kunnen zijn over jezelf als niet de hele mensheid tevreden over je is.

Ze gingen in de auto zitten, Kristina zette een bandje op met La Divina, oftewel de goddelijke Maria Callas. De eerste aria was uit Puccini's *Madame Butterfly*. De stem kwam rustig en imposant als wolken aan een stormachtige hemel de auto inzetten. Nam hen mee, trok hen het oog van de orkaan in, machteloos en verleid. Ze luisterden stil, hun gedachten brachten hen dan weer dichter bij, dan weer ver uit elkaar. Ze zouden echte vriendinnen kunnen worden, met een beetje tijd, met een beetje geluk.

'Ik zet je wel thuis af.'

'"Thuis, mijn heerlijk thuis! Waar mijn scheten wonen!", zoals mijn oma altijd zegt.'

Ze reden voorbij het Centraal Station, langzaam genoeg om de onrustige schaduwen te zien die zich over het trottoir bewogen, op jacht naar een plekje om de nacht door te brengen. In korte tijd was het aantal zwervers verdrievoudigd. Stockholm kreeg een nieuw gezicht, een nieuwe geografie. En daar was niets aan te doen. Zij werden geacht deze wereld in het gareel te houden, maar deze wereld zakte in als een mislukte soufflé en liet hen in de smurrie achter.

In de tunnel naar het zuiden van de stad zagen ze politieauto's staan en een ambulance. Een zwerver, die in de tunnel zijn vaste stekje had, was aangereden. Ze hoorden de geschrokken bestuurder tegen de politie zeggen: 'Hij dook op als een spook.'

In deze wereld werden de spoken steeds talrijker.

Ze reden verder.

'Wat is dit voor muziek?' Maria's muziekkennis had alles wat niet pop of rock was categorisch uitgesloten, maar nu merkte ze dat haar hart zich opende als een oude, roestige sluis. 'Het is een heel mooi treuren.'

28

Kristina wist dat de meeste moorden binnen het gezin worden gepleegd, met name moorden op vrouwen en kinderen. De meeste ongelukken die de mens overkomen, zijn het gevolg van het feit dat hij zijn kamer verlaat.

Dat had Pascal gezegd, de Fransman met het grote talent voor zowel de wiskunde als de vleselijke lusten. En hij zou moeten weten waar hij het over had, want nadat hij een jong meisje dat zijn leerlinge was, had verleid, had men zijn lid afgehakt.

En toch had hij geen gelijk. De meeste ongelukken die de mens overkomen, zijn het gevolg van het feit dat hij binnenshuis blijft. De vrouw die ze met drie kogels in haar lijf hadden gevonden, was vermoedelijk in haar eigen of iemand anders' huis vermoord. Ze zou nog hebben geleefd als ze de kamer uit was gelopen.

Wat Kristina het meest verbaasde was dat het slachtoffer meestal niets vermoedt en de moordenaar waarschijnlijk weerziet in de overtuiging dat alles zal gaan zoals het een dag of een nacht eerder ging. Dat de mens over zo'n zwak instinct beschikt wanneer het om gevaar gaat. De cultuur heeft ons kwetsbaarder gemaakt, sterfelijker.

Welke garantie had ze zelf dat Johan haar niet achter de deur opwachtte met een bijl in zijn handen? Ze had geen enkele garantie, behalve dat hij dat niet eerder had gedaan.

Wat zou hem zijn beheersing zó doen verliezen dat hij een bijl in haar achterhoofd zou planten? Dat kon in principe van alles zijn.

Het trof haar dat niet alleen het samenwonen, maar het hele sociale leven eigenlijk uitging van een enorme hoeveelheid vertrouwen. Elke dag was ze aangewezen op het vertrouwen in systemen en mechanismen die ze zelf niet beheerste. De remmen van de Fiat moesten bijvoorbeeld werken, ze trapte op een pedaal en de auto kwam tot stilstand, maar ze wist niet eens hoe remschijven er eigenlijk uitzien. Ze zou ze nooit kunnen beschrijven, laat staan repareren. En dus moest ze haar vertrouwen stellen in een of andere, volkomen onbekende monteur in Noord-Italië, dat hij zijn werk had gedaan, en in haar garage in Västberga, waar de kerels misschien minder onbekend, maar toch nog steeds vreemdelingen voor haar waren.

Haar vertrouwen moest zich op diezelfde manier, vierentwintig uur per dag, uitstrekken tot massa's mensen over de hele wereld. Het moderne leven had de mens meer dan ooit afhankelijk gemaakt van andere mensen. Daarom voelde het zo onveilig, zo vermoeiend. Daarom ook werd ieder teken van onbetrouwbaarheid opgevat als een grote catastrofe. Zonder vertrouwen stortte de wereld in.

En dus was het niet waar dat de industrialisatie het leven minder menselijk had gemaakt, zoals zovelen beweerden. Feitelijk was het net omgekeerd: door de industrialisatie waren mensen meer van elkaar afhankelijk geworden. Een Fiat bracht meer mensen bij elkaar dan een apostel ooit was gelukt.

Het bleek dat ze ook deze keer weer zou overleven. Johan stond haar niet op te wachten met een bijl, maar met een glas warme melk met honing, wat ze zo lekker vond. Ze gingen aan de keukentafel zitten, het was bijna één uur. Ze wist dat hij al had moeten slapen, zijn werk als leraar op een middelbare school was bepaald geen sinecure.

Het leek of hij iets met haar wilde bespreken. Het was

alsof hij een besluit had genomen. Ze wist dat ze vragen moest stellen, dat ze het hem gemakkelijk zou moeten maken. Ze deed het niet. Ze was te moe. Bovendien wist ze niet zeker of ze dat wat hij te zeggen had wel wilde horen.

Als zo vaak eerder overwon haar wil zonder moeite. Ze praatten een poosje over koetjes en kalfjes met het bezwaarde gevoel om de hete brij heen te draaien. Stelletjes die niet meer van elkaar houden, draaien de hele tijd om de hete brij heen.

En toch, ze had de blikken van de Poolse tandarts met zich mee naar huis genomen, de hand van Georg Selin die broedend over zijn zaakje lag, alsof hij ieder moment kon werpen, de lichamen van de schaars geklede meisjes aan de bar, het schorre gelach van het gezelschap dat de club in kwam toen zij net op weg was naar buiten.

Dat leefde allemaal binnen in haar verder, als vergeten rails op een verlaten treinstation waar niemand meer naartoe komt en vanwaar niemand meer weggaat. De lust binnen in haar kleurde snel donkerder als stollend bloed en ze ging op haar knieën voor haar man zitten, die nu een willekeurige man was geworden, of misschien zelfs helemaal geen man meer was, maar een altaar waarop ze haar gewaarwordingen en herinneringen, haar gevoelens en liefkozingen zou offeren.

Ze wist dat er geen valse altaren zijn, er zijn alleen valse slachtoffers. Hij deed zijn ogen dicht en haar mond rook naar melk en honing.

29

Het telefoonboek is voor de politie wat de Bijbel voor de mannen van de kerk is. Zonder een telefoonboek in de buurt is de politie net zo hulpeloos als een ei. Maria, die uiteindelijk toch het mysterie van de ongebruikelijke plastic zakken op haar bord had gekregen, wist dat.

Thomas was blijven hangen bij een ander onderzoek, dat weliswaar eenvoudig was, maar veel tijd in beslag nam. Een veertigjarige man had met hulp van zijn minnares haar wettige echtgenoot doodgeslagen. Toen dat was gebeurd, werd hij zo kwaad op haar dat hij ook haar had gedood door haar met het hoofd tegen de wastafel te slaan. Daarna stak hij de woning in brand, maar de buren waarschuwden de brandweer, die hem dronken en buiten bewustzijn in de slaapkamer vond. Het duurde een heel etmaal voor hij wakker werd, en toen wilde hij weten hoe laat het was, alsof hij naar zijn werk moest.

Dus mocht Maria het telefoonboek doorzoeken. Onder het kopje 'Plastic' in het katern met bedrijven vond ze alleen bedrijven die producten voor de industrie maakten. Maar ook een firma die gespecialiseerd was in vibrators.

Een goede doelman heeft geluk, zeggen zij die het kunnen weten. Ook een goede politieman moet geluk hebben. Ze belde op, voornamelijk uit nieuwsgierigheid naar het assortiment, maar de man die met een sterk Maleisisch accent – dat maakte ze zichzelf tenminste wijs – de telefoon opnam, was een lot uit de loterij. Hij had het vermoedelijk gehad met zijn werk, hij had niet veel te doen en het gebeurde niet vaak dat er door vrouwen werd gebeld.

Hij bood aan het stukje plastic te onderzoeken en beweerde dat hij alles van plastic producten af wist, of dat nu vibrators of supermarkttasjes waren.

Maria hoorde de hele tijd een ruige geilheid in zijn stem, maar ze besloot te doen of haar neus bloedde. Bovendien, hoe kon de geilheid van een Maleisiër ruig zijn? Hun lichamen waren toch zo glad als een mes?

Tot haar grote verbazing kwam de vibratorspecialist inderdaad uit Maleisië en scheen hij zich niets aan te trekken van het feit dat ze van de politie was, noch van het feit dat ze vrouw was. Hij bewoog zich ongedwongen in zijn kleine winkel aan het einde van de Götgatan, omgeven door vibrators en andere sekshulpmiddelen alsof het spruitjes waren. Bovendien was hij erg galant en bood haar meteen een kop sterke koffie aan, met een kruid erin dat haar wangen deed gloeien.

Daarna pakte hij het stuk plastic en ging aan zijn bureau zitten. Hij draaide en keerde het een aantal keren, terwijl hij in zijn eigen taal mompelde. In de tussentijd probeerde Maria niet naar het assortiment, waaronder vibrators in alle soorten en maten, te kijken. Het resultaat was dat ze haar ogen dichtdeed en zich probeerde voor te stellen hoe Östen er van beneden uitzag.

Uiteindelijk was de Maleisiër tevreden. 'Dit plastic is niet in Zweden gefabriceerd. Het is te grof en dat kom je vooral in de Oostbloklanden tegen. Maar waar komt dit stukje vandaan?'

'Van een zak.'

'Dat vermoedde ik al. In dat geval is het Russisch. Alleen de Russen maken zulke grove plastic zakken, waarom weet ik niet. Maar ze worden niet op de Zweedse markt verkocht.'

'Weet je dat heel zeker?'

De man aarzelde eventjes. 'Ja... maar er is een kans... Er zijn een paar bedrijven die het minder nauw nemen... die levendig handelen in goederen uit het Russische leger. Die kosten bijna niets... Er is natuurlijk een kans dat zo'n bedrijfje een partij plastic zakken heeft opgekocht.'

'Ken je een dergelijke firma?'

'Iedereen in mijn branche kent dergelijke firma's. Rusland is onze grootste exportmarkt.'

'En ik dacht dat ze daar verhongerden!'

'Dat doen ze ook, maar de ene honger stilt de andere nog niet.'

'Ik begrijp het.'

Begreep ze het echt?

De voorkomende Maleisiër gaf haar een adres uit zijn adresboek en wenste haar geluk.

De naam was nietszeggend. Import-Export AB in Nacka. De politie heeft al sinds jaar en dag een ingebakken achterdocht als het gaat om firma's met nietszeggende namen als Import-Export. Ten tijde van de Koude Oorlog noemden alle spionage- en contraspionagebureautjes zich Import-Export AB.

Ditmaal had ze niet met spionnen van doen, maar met Kostia Malenkov, een Russische veteraan uit de oorlog in Afghanistan, die in tegenstelling tot de Maleisiër beduidend nerveuzer werd van de confrontatie met iemand van de politie.

Zijn bedrijfje lag bijna verstopt in de wirwar van barakken in een industriegebied en ze dwaalde een aardig tijdje rond voor ze het ontdekte.

Malenkov had geen enkele moeite de herkomst van het stuk plastic te achterhalen. Hij was de enige die dergelijke plastic zakken verkocht, het was een partij waar hij via zijn contacten in het Russische leger goedkoop aan had kunnen komen.

Hij was bereid zijn hele levensgeschiedenis te vertellen, maar was daarentegen erg terughoudend wanneer het zijn klanten betrof. Hij beweerde alleen maar aan bedrijven te verkopen. Maria had een sterk vermoeden dat hij loog, daarom dreigde ze ermee dat ze de belastingdienst kon vragen zijn boeken te komen bekijken.

Kostia Malenkov was twee jaar in Afghanistan heelhuids doorgekomen. Hij was niet van plan de Zweedse belastingbureaucratie over zich af te roepen, omdat hij wist dat de kans dat hij zich dan zou redden beduidend kleiner was.

Daarom herinnerde hij zich ineens een klant aan wie hij twaalf van deze plastic zakken had verkocht. Een man van in de veertig, Zweeds. Meer informatie had hij niet, en deze keer was dat niet gelogen. De man had bovendien contant betaald. O ja, nog iets. Hij reed in een minibusje, een Toyota.

'Met een Zweeds kenteken?' Maria had moeite zich in te houden.

'Nee, met een Duits kenteken.'

'Maar híj was Zweeds?'

'Helemaal.'

'Hoe zag hij eruit?'

Malenkov zoog op zijn lippen, alsof hij dacht met zijn

mond. 'Gewoon... niet lang, niet kort, niet mager, niet dik... Hij had heel sterke ogen.'

'Hoezo? Bent u soms oogarts?'

'Ze glansden, zeg maar... als een net ontstane ster!'

'Misschien was hij gewoon bezopen... of misschien was u dat!'

Malenkov veroorloofde het zich te lachen.

Maria probeerde in haar fantasie een beeld te vormen van hoe de man eruitzag, maar de enige die ze zag was Östen.

'Zou u hem herkennen wanneer u hem zag?'

'Absoluut.'

'Enig idee waarom hij twaalf plastic zakken zou hebben gekocht?'

'Hij moest wel. Ik verkoop niet in kleinere hoeveelheden.'

'Goed. U hebt me flink geholpen. Het is mogelijk dat ik nog eens met u wil praten... neem eerst contact met ons op als u weg zou willen gaan.'

Ze reed weg met de overtuiging dat ze goed werk had geleverd, dat ze een stukje van de puzzel op zijn plaats had gelegd, ook al ontbraken er nog veel meer.

Zo was het nou eenmaal. Soms weet je hoe de puzzel eruitziet, maar ontbreken er stukjes, andere keren heb je de stukjes, zonder te weten hoe de puzzel eruit moet komen te zien.

Zo was het nou eenmaal met haar leven. Alles was aanwezig, behalve datgene wat nodig was om er een goed leven van te maken. Het was precies op dat moment, terwijl ze terugreed naar Huddinge en moest voorsorteren voor de Skanstullsbrug, dat ze het besluit nam om te scheiden. Ze was blij verrast door de duidelijkheid van haar overtuiging, zoals wanneer je op een ochtend de deur uit gaat met een paraplu in je hand, om te ontdekken dat het weer is omgeslagen en de zon schijnt.

30

Maria's nieuws verspreidde een zeker optimisme in de groep, men zag echter al snel in dat je niet zonder meer iemand te pakken krijgt van wie je niet meer weet dan dat de betrokken persoon, om met de Rus te spreken, sterke ogen heeft.

De dagen gingen voorbij en het onderzoek was vastgelopen in een poel van sporen die nergens naartoe leidden, wat Hole-in-one via de landelijke krant *Aftonbladet* rondbazuinde. Aan de hand van verschillende analyses en proeven verzamelden ze steeds nieuwe informatie over het slachtoffer, maar niets was doorslaggevend.

Ze wisten hoe oud ze was, hoe ze was gestorven, wat ze had gegeten, maar niet hoe ze heette. Een mens zonder naam is een trieste herinnering aan het enorme belang dat de westerse cultuur aan definities toekent.

Östen was niet verder gekomen in zijn zoektocht naar de minibus, Thomas had niets gehoord van zijn collega in Tallinn. Kristina was er nog niet helemaal van overtuigd dat Ilona Ekmanis hen voor de gek had gehouden, maar om dat spoor verder te volgen zou zij, of een van hen, naar Tallinn moeten om daar een paar dagen rond te neuzen.

Dat zou geld kosten en om geld uit te mogen geven waren sterkere bewijzen nodig dan het verhaal van een stripteasedanseresje.

Met de vakantieperiode voor de deur zou bovendien de bezetting binnenkort worden gedecimeerd. En daar moest de dagelijkse aanvoer van nieuwe opdrachten, die niet van hetzelfde kaliber waren maar wel moesten worden opgelost, nog bij worden opgeteld. Kristina hield er niet van de ene misdaad boven de andere te prioriteren. Rechtvaardigheid zou geen kwestie moeten zijn van al dan niet voldoende mankracht.

En dus wilde ze de moord op de vrouw achter zich laten, maar niet als nog een map op de stapel onopgeloste gevallen. Aan de andere kant, waarom zou dat zo'n ramp zijn? Haar eigen leven was ook hard op weg een onopgelost geval te worden.

Hoe moest ze verder leven met een man die duidelijk niet meer van haar hield? Het kostte haar nog steeds niet veel moeite om hem te verleiden, zoals gisteravond, en toch wist ze dat hij er niet bij was. Zijn lichaam reageerde op haar liefkozingen en kussen, terwijl hij zelf verschrompelde als een blad papier dat je in het vuur gooit: even wordt het groter, voordat het verast.

Het verontrustte haar dat ze er in zekere zin van genoot. Haar wens om te verleiden was bijna net zo groot als haar wens om verleid te worden. Het spelletje waar ze het meest van hield, zou je het verleiden van de verleider kunnen noemen. Het probleem was dat Johan haar niet langer leek te willen verleiden.

Ze zat aan haar bureau met haar benen op een uitgetrokken ladekastje. Ze wilde niet ook nog eens in haar werk mislukken. Welke stap zou haar verder brengen?

Toen kwam Thomas haar kamer binnen en hij was in een humeur dat normaal gesproken al stralend wordt genoemd, maar dat in zijn geval extravagant mocht heten. Hij hield een fax hoog boven zijn hoofd, als een vaandel, gelijk de Duitse soldaat die als eerste Stalingrad bestormde.

'Nu ontloopt hij ons niet meer!' Zijn nasale stem had deze keer een wraaklustige intimiteit, alsof hij de moordenaar al kende.

De Estse hoofdinspecteur schreef dat een jonge vrouw met de naam Natasha Filippovna in november door haar moeder als vermist was opgegeven. Natasha was drie jaar daarvoor met een Zweedse man naar Zweden verhuisd. Haar moeder, een gepensioneerde lerares, had tot november min of meer regelmatig contact met haar gehad. Daarna niets. Ze had gebeld, ze had geschreven, ze had telegrammen gestuurd. Geen antwoord. De laatste keer dat ze haar dochter had gesproken, was op de avond van 16 november geweest.

De politie van Tallinn had daarop contact opgenomen met de collega's in Stockholm en het bleek dat de man met wie de vrouw had samengewoond, samen met haar en haar kind naar het buitenland was verhuisd.

Dat stelde de moeder voor korte tijd gerust, maar weer een paar weken later kwam ze terug en deed opnieuw aangifte. Het was niet gebruikelijk dat haar dochter zo lang niets van zich liet horen. Deze keer had men geen tijd om een verdwenen jonge vrouw te zoeken die zich vermoedelijk gewoon geen barst voor haar oude moeder interesseerde. Men liet de zaak rusten.

Er was bovendien een foto van de vermiste. Het was een oude foto van een twintigjarige vrouw op het strand, waar ze al het licht naar zich toe leek te trekken.

Er was een hemelsbreed verschil tussen die foto en de foto's die Kristina in haar kast had liggen. Toch bestond er geen twijfel over dat het dezelfde persoon was.

Kristina stond uit haar stoel op en gaf Thomas, een tikje onsportief, omdat hij het niet verwachtte, een zoen op zijn wang.

Hij was een voorzichtig mens. 'Je kunt beter geen voorschot nemen op een overwinning.'

'Soms is het de enige overwinning die je krijgt!'

Ze pakte de telefoon.

31

Jean Olivelöf was duidelijk een man die er niet van hield bij de buren op schoot te zitten en daar financieel ook niet toe was gedwongen. Het erf besloeg meer dan vierduizend vierkante meter en was erg goed onderhouden. Bloemperken, met zand bestrooide paden die naar een groot, rond theehuisje leidden en een met seringen begroeid prieeltje waar men geheimpjes kon fluisteren die men niet eens had.

Voordat ze aanbelden, stond Thomas even stil om op adem te komen, terwijl Kristina van de gelegenheid gebruikmaakte om haar make-up bij te werken. Binnen hoorden ze iemand op een viool nauwkeurig toonladders oefenen.

Dezelfde persoon opende de deur. Een jongen, vier of vijf jaar oud, blond haar en lichte ogen, met een viool onder zijn arm. Er lag een schuwheid in zijn ogen, een uitdrukking die je vaak ziet bij mensen die niet verwachten te begrijpen wat ze tegenkomen.

Kristina's eerste impuls was om hem over zijn hoofd te aaien. Daarna deed ze hetzelfde als wat je doet bij een vreemde hond. Ze ging op haar hurken zitten, op ooghoogte met de jongen, en vroeg zo vriendelijk mogelijk: 'Waar is je moeder?'

Natuurlijk was ze eigenlijk geïnteresseerd in zijn vader. De jongen keek haar aan met een blik die van binnenuit kwam, als een bron die zijn eigen water spiegelt. Daarna draaide hij zich om en rende het huis in.

Thomas schudde zijn hoofd en dat was deels omdat dat het enige was wat hij nog kon schudden. Hij was ongelofelijk moe. Hij had een vreselijke nacht achter de rug, waarin zijn zoon een van zijn krankzinnige aanvallen had gehad en met een mes in zijn hand zijn moeder door het hele huis had achternagezeten. Thomas was gewoon gedwongen geweest de energie uit hem te slaan met een rechts-linkscombinatie in de maag, afgesloten met een rechtse hoek in de hartstreek.

Thomas Roth was dan wel een vriendelijk persoon, maar als hij uithaalde, wist hij wat hij deed. In zijn jeugd had hij plannen gekoesterd om profbokser te worden, hij had de nationale kampioenschappen lichtgewicht drie jaar achtereen gewonnen, maar de dames van de Rijksdag hadden zijn plannen gedwarsboomd en het profboksen verboden ten gunste van profbingo.

Na afloop had hij de hele nacht met zijn zoontje op

schoot gezeten en tranen gedroogd, terwijl zijn vrouw nog geschokt met de dekens over haar hoofd lag na te snikken in het tweepersoonsbed.

Het was dus helemaal niet zo vreemd dat Thomas Roth zich voelde alsof hij een nacht had doorgebracht tussen twee molenstenen. Het was merkwaardiger dat hij nog steeds op zijn benen stond. Maar hij was er de persoon niet naar zich te beklagen. Hij ademde diep en met gepaste tussenpozen, precies zoals hij dat deed wanneer hij tussen twee rondes in de ring stond. De eerste rondes waren zwaar. De laatste rondes waren zwaarder. Zo simpel was het. Niet iedereen kan het aan. Hij zou het aankunnen.

De jongen kwam terug met een jonge vrouw, wier hand hij vasthield alsof ze een vlieger was die elk moment kon opstijgen, wat niet erg waarschijnlijk was aangezien haar positie haar in hoge mate verzwaarde.

'Rustig, Aljosa, rustig.' Haar stem was mild en speels tegelijk.

Thomas wierp een snelle blik op Kristina, alsof hij wilde zeggen dat dit niet zijn pakkie-an was. Zwangere vrouwen waren ook Kristina's pakkie-an niet, in het bijzonder omdat ze haar in zekere zin altijd fysiek minderwaardig lieten voelen, of ze op een bepaalde manier niet compleet was. Maar tegelijkertijd werd ze altijd boos op zichzelf, omdat ze in de val liep van al die clichés die de kunst veranderden in inferieur leven en het leven in slechte kunst.

De enige die scheen te weten waarom de situatie vroeg, was de jonge vrouw.

'Sinds zijn moeder is verdwenen, heeft hij moeite om

stil te zitten.' Ze zei het alsof ze het over het weer had.

Kristina zag haar kans schoon. 'Dat is ook de reden waarom we hier zijn. We hebben redenen om aan te nemen dat we zijn moeder hebben gevonden. Dood, helaas. Of, preciezer, vermoord. We zouden ook graag praten met Jan Olivelöf...'

'Jean, niet Jan. Hij spreekt zijn naam op zijn Frans uit.' Dat was duidelijk belangrijk.

'En wie ben jij?' Thomas greep abrupt in om haar een tikkeltje minder zelfverzekerd te maken. Het antwoord op de vraag was al bekend. Kristina wist wie ze was. Zij had haar cello zien spelen op het concert in de kerk van Ekerö, ruim een maand geleden.

'Ik heet Anja... Anja von Löwenmüller, en ik ben verloofd met Jean. Zoals jullie kunnen zien, verwachten we ons eerste kind.'

Haar stem was nog steeds rustig en ze deed een stap naar achteren, het huis in, terwijl ze hen met een eenvoudig gebaar uitnodigde binnen te komen. Je kon zien dat ze een vrouw was die nog nooit had hoeven liegen.

De kamer die ze instapten, werd zozeer door het portret van een man overheerst, dat het voelde alsof hij dienstdeed als de lijst van het schilderij.

'De overgrootvader van mijn verloofde', lichtte Anja von Löwenmüller toe.

Thomas, die in dergelijke zaken thuis was, herkende de bankier die met twee lege handen was begonnen en geëindigd was met een leeg hart.

'Wel, waar kan ik u mee van dienst zijn?'

Kristina had geen haast. 'Ik heb u Mendelssohn horen spelen', zei ze. 'U speelde heel mooi.'

Anja von Löwenmüller begon te stralen als een zonnebloem. 'Ja, pas sinds ik zwanger ben, begrijp ik hoe je
Mendelssohn moet spelen. Eigenaardig, niet?'

Zo eigenaardig was dat niet. Het lichaam leert sneller
dan het hoofd en het leert bovendien dingen die het hoofd
nooit zal leren.

Hoe leer je bijvoorbeeld een vreemde taal? Door naar
klanken te luisteren, gezichtsuitdrukkingen waar te nemen, gebaren te duiden die zich met woorden hebben
verloofd en omgekeerd; niet door er slechts woordenboe-
ken op na te slaan, die brengen toch geen kennis over,
alleen maar informatie.

Maar nu was ze toch meer geïnteresseerd in informatie. Ze wilde weten door wie Natasha Filippovna met drie
kogels was vermoord, en waar en hoe. De kennis zou op
een waarom volgen en dat kon tot nader orde wachten. De
informatiemaatschappij vraagt meer politiebeambten, terwijl de kennismaatschappij meer psychologen eist. Op dit
moment waren er te weinig politiebeambten en te weinig
psychologen en ze vertrouwden elkaar niet, helemaal niet
meer na de Palme-zaak, waarin de politie had geblunderd
met een aantal getuigenverklaringen en zo de psychologen die als getuige-deskundigen waren gehoord de mogelijkheid had gegeven om zich nog meer te vergaloppe-
ren.

Kristina zou geen flater begaan.

'We zouden eigenlijk graag met uw aanstaande praten,
maar ik neem aan dat hij niet thuis is?'

Anja von Löwenmüller reageerde met een geluid dat
half een zucht was en half een soort minilachje. 'Nee, uw
vermoeden is helemaal juist. Hij is niet thuis. Hij is niet

eens in Stockholm. Ja, ik moet u bekennen dat hij niet eens in Zweden is.'

'Waar is hij dan?'

'Ik weet het niet precies. Ik geloof dat hij vandaag in Basel speelt.'

'Speelt? Wat speelt hij? Voetbal?'

Een snelle grijns van afkeer liet een schaduw over het mooie gezicht van Anja von Löwenmüller vallen.

'Jean is wereldberoemd violist.'

'Al is niemand in Zweden daarvan op de hoogte.' Thomas bleef haar bestoken.

'In Zweden is het niet zo weinig wat we niet weten.'

Ze behandelde hem als een opstandig kind. Thomas herkende de toon. Hij was gewoon op die manier tegen zijn zoon te praten. Ze had hem het schaamrood op de kaken bezorgd.

Kristina had vanaf het begin begrepen wie Jean Olivelöf was. Ze had hem gezien, ze herinnerde zich zijn concentratie toen hij aan het spelen was, ze herinnerde zich zijn lange, zware blikken op de jonge celliste, die Anja von Löwenmüller bleek te zijn.

Ze herinnerde zich dat ze had gewenst haar plaats in te mogen nemen als onderwerp van zijn begeerte, maar dat ze, toen ze zijn ogen na het concert ontmoette, geschrokken was, bijna bang. Het was een zwaarwegende blik geweest, met geen ander gevoel erin dan een meer dan normale interesse om haar een plek te geven op een soort mentale kaart. Ze kon zich voorstellen dat Linnaeus met zo'n soort blik bloemen en planten had bekeken.

Ze kon zich ook voorstellen dat een man met deze oogopslag iemand kon doden, hoewel niet uit passie of uit plotseling opkomende woede. Wat had een man als hij ertoe gebracht iemand te doden?

Ze was er nu al zeker van dat hij het was die de plastic zakken had gekocht. Hij had precies die sterke blik waarover de Rus het had gehad. Het was meer dan waarschijnlijk dat hij de moordenaar was, maar daar moest ze nog even mee wachten. Nu was het zaak erachter te komen hoeveel Anja von Löwenmüller wist.

Ze wist alleen niet goed hoe. Door haar te laten schrikken, door haar jaloezie op te wekken of door haar te vleien?

'Ik heb ergens gelezen dat Mendelssohn dat stuk schreef na een ongelukkige liefde. Iets waar hij kennelijk talent voor had. Maar daar lijkt uw aanstaande geen last van te hebben.'

Anja von Löwenmüller was niet snel geprovoceerd. Een kwestie van klasse. 'Jean heeft alles wat een vrouw wil hebben.'

'Zelfs een vrouw als u?'

'Zelfs een vrouw als ik.'

'Woonde hij samen met Aljosa's moeder toen jullie elkaar ontmoetten? Ik neem tenminste aan dat het haar kind is?'

'Nee. Zij was bij hem weggegaan... of liever gezegd, verdwenen met een Rus die kennelijk een soort eerste recht op haar had.'

Dat laatste werd opnieuw gezegd met een combinatie van zucht en lach alsof ze dacht: de wereld is gek, maar wij vermaken ons er wel mee.

'Weet je dat zelf? Of heeft meneer Jan je dat verteld?' Thomas was vastbesloten de Franse uitspraak van Olivelöfs voornaam te negeren.

Deze keer trof hij raak. Anja von Löwenmüller liet haar hoofd wat zakken. 'Dat heeft Jean me verteld.'

'En waarom heeft ze haar kind niet met zich meegenomen?'

'Ze heeft zich nooit om haar kind bekommerd.'

'Is het kind van meneer Jan?'

'Nee. Hij zegt dat het zijn kind niet is.'

Thomas glimlachte tevreden. Hij had haar zover gekregen om op een min of meer objectieve manier over haar aanstaande te praten. Het zou niet lang duren voor ze het als haar plicht zou zien kwaad van hem te spreken.

'Inmiddels weten we dat Natasha Filippovna dood is.'

'Daar heeft Jean niets mee te maken!'

Er klonk een zeker protest in haar stem, maar niet con brio, dacht Kristina. Het was tijd zich aan Anja von Löwenmüllers kant te scharen.

'Nee, dat geloven wij ook niet. Maar we zouden hem graag spreken. Weet u waar we hem kunnen bereiken? U zei dat hij vandaag in Basel zou spelen. Klopt dat?'

Er kwam geen antwoord. In plaats daarvan kwamen de tranen in Anja von Löwenmüllers ogen, die niet langer straalden met de stille zwangerschapsglans, maar met het zwakke parkeerlicht van de angst.

'Om u de waarheid te zeggen, weet ik niet waar hij is.'

Kristina kon niet anders dan bewondering hebben voor een vrouw die, zonder de controle te verliezen over meer dan haar traanklieren, bekende dat ze zojuist had gelogen. De stem van Anja von Löwenmüller klonk net zo rustig als voorheen.

'Ik weet niet eens of hij nog wel terugkomt. Hier zit ik, met zijn kind in mijn buik en met een vreemd, half autistisch kind aan wie ik me zelfs ben gaan hechten, en ik weet niet waar hij is, wat hij doet en met wie.'

'Afgaande op wat ik tot nu toe heb gezien, is het niet moeilijk te raden wat hij doet en met wie.'

Thomas had nooit begrepen waarom vrouwen vielen op wandelende fluimen. Vroeger werd gezegd dat als je omhoog spuugt, het in je eigen baard terechtkomt. Tegenwoordig is het anders. Als je omhoog spuugt, komt het op een vrouw terecht.

Hij kwam een stap dichterbij staan. 'Mag ik je nog iets vragen? Waarom loog je?'

Anja von Löwenmüller hoorde een even oprechte als treurige verbazing in zijn stem. Ze wilde zijn vraag beantwoorden, maar beantwoordde zijn behoefte serieus genomen te worden. 'Dat begrijpt u vast wel.'

Ze was zichzelf weer. Ze bleef hem hardnekkig met 'u' aanspreken.

Hij begreep het niet, maar hij was niet van plan dat toe te geven. 'Ik geef er toch de voorkeur aan het van jou te horen te krijgen.'

Hij wist dat hij daar lang op kon wachten. Anja von Löwenmüller was een vrouw die een cello tussen haar slanke dijen wist te bedwingen. Het kostte haar geen enkele moeite Thomas te bedwingen.

'Is dit een verhoor?' Het was overduidelijk dat ze van mening was dat de vraag zelf minstens even absurd was als het eventuele antwoord.

Kristina vond het tijd worden dit eerste bezoek af te ronden. 'Nee, dit is geen verhoor.'

Ze wist zeker dat er meerdere bezoekjes zouden volgen, en ze wist ook zeker dat Anja von Löwenmüller zich niet uit de voeten zou maken. Wanneer het aristocraten betreft, kun je van één ding op aan: ze zullen land dat ze als hun eigendom beschouwen niet snel ontvluchten, en ze zijn nog minder geneigd te vluchten wanneer ze een kind verwachten dat op een mooie dag dat land zal erven.

Ze wist ook zeker dat Jean Olivelöf vroeg of laat boven water zou komen. Hij was kunstenaar, en een talent dat vrijwel alle kunstenaar moeten ontberen is het zich kunnen verstoppen, en mochten ze zich toch verstoppen, dan is dat alleen omdat ze gevonden willen worden.

32

Mitsuko Öberg-Namamoto was geïmponeerd, maar niet blij.

'Wat hebben we nou eigenlijk? Dat hij met het slachtoffer samenwoonde, dat hij misschien hetzelfde soort plastic zakken heeft gekocht als die waarin het slachtoffer is gevonden, dat hij vermoedelijk een minibus met een Duits kenteken bezit. Ik kan natuurlijk zijn arrestatie bevelen, wat ik ook zal doen, maar het zal niet gemakkelijk worden. We moeten het moordwapen opsporen, achter het motief komen en eventueel achter de plaats van het misdrijf. Tot nu toe weten we dat allemaal nog niet. Ondertussen moet iemand haar identificeren.'

'We hebben haar kind.'

Mitsuko beloonde Östen met een strenge blik. 'Voor zoiets kunnen we het kind niet gebruiken. Dus moeten we de moeder van het slachtoffer laten overkomen en dat zal wel even duren.'

Kristina wist het allemaal. Toch was ze er zeker van dat dit de man was naar wie ze op zoek was.

'Ik heb een machtiging voor een huiszoeking nodig. Je weet nooit wat je daar vindt.'

'Ik zal het vandaag nog regelen.' Mitsuko stond op, verzamelde haar papieren en liep zonder onnodige plichtplegingen de kamer uit.

'Die vrouw laat er geen gras over groeien', fluisterde Östen in Thomas' oor.

De effectiviteit van Mitsuko liet altijd een spoor van verslagenheid achter. Kristina begreep dat ze het initiatief snel naar zich toe moest trekken.

'Goed. Zij doet haar werk, wij dat van ons. De huiszoeking doe ik zelf, samen met Maria. Het is algemeen bekend dat wij, vrouwen, er goed in zijn terug te vinden wat jullie, mannen, hebben verloren.'

'Ik heb nog nooit iets anders verloren dan mijn hart.'

Ook al was het duidelijk dat hij een grapje maakte, toch keken ze hem allemaal aan. Östen bloosde een beetje en ineens was het al even duidelijk dat hij geen grapje maakte, waarop ze zich gegeneerd gedwongen voelden te doen alsof hij dat juist wel deed.

'Neem je geen technici mee?' Thomas, die er moeite mee had een man en collega zich te zien openen als een treinwissel, veranderde van onderwerp.

Het kleine drama ontging Kristina niet, maar ze had er nu even geen tijd voor.

'Nee, ik denk het niet. Ten eerste weten we niet of de moord wel daar thuis heeft plaatsgevonden. Ten tweede zijn er sindsdien minstens zes maanden verstreken. Er is vast al een paar keer een stofzuiger door het huis gehaald. Ik geloof niet dat we de technici nodig hebben. We zijn niet op zoek naar microscopische vezels, we zijn op zoek naar een wapen. De technici zouden die arme vrouw en het kind de stuipen op het lijf jagen. Nog afgezien van het feit dat ze voor iedere minuut een uur declareren. Ze zijn nog erger dan automonteurs!'

Haar stem klonk veel te scherp, ze hoorde het zelf. Ze begon opnieuw, op een mildere toon. 'Thomas, je moet meteen contact opnemen met je vriend in Tallinn. We moeten die moeder hierheen halen. Ik zal overleggen met Buitenlandse Zaken. En Östen verzamelt alle informatie die over Jean Olivelöf te vinden is. Om vier uur zien we elkaar hier weer, om te kijken wat we hebben.'

'Oké.'

'...en nog geen woord aan de pers!'

Ze keken haar verbaasd aan. Waar zag ze hen voor aan? Ieder ging aan de slag met het zijne.

Kristina bleef alleen op haar kamer achter. Ze was zo opgehitst als een drijfhond voor de jacht. Ze begreep dat dat helemaal niets met haar rechtsgevoel te maken had. Het was een andere, veel primitievere vreugde. Ergens bevond zich iemand die dacht dat hij hen in de luren had gelegd. Het zag ernaar uit dat het hem niet was gelukt.

Ze wilde haar man bellen om haar vreugde met hem te delen, maar wist dat het moeilijk zou zijn om hem op school te pakken te krijgen. Daarom pakte ze de telefoon om haar vader te bellen, maar bedacht toen dat hij vandaag zijn wekelijkse baantjes trok in het ondergrondse zwembad van de Grote Kerk in de oude stad.

Langer was de lijst niet. Er waren maar twee mensen ter wereld met wie ze wilde praten. Waar waren alle anderen gebleven? Hoe hadden zoveel vrienden en vriendinnen ongemerkt kunnen verdwijnen, als het groen bij aanvang van de herfst? Het leven had haar ontbladerd.

Resoluut, vlak voordat het grote zelfmedelijden haar in zijn greep kreeg, besloot ze naar Buitenlandse Zaken te bellen, maar het gerinkel van de telefoon kwam ertussen. Hole-in-one was aan de lijn.

'Ik hoop niet dat mijn artikel verkeerd is gevallen.'

Kristina verzekerde haar dat dat niet het geval was, wat natuurlijk gelogen was. Daarna bleek dat Hole-in-one er lucht van had gekregen dat er iets gaande was; ze weigerde mee te delen hoe ze daar achter was gekomen, wat haar recht en plicht was als journalist.

Op het principe van het recht van de journalist om geen bronnen te onthullen is niets aan te merken. Het heeft tot doel de zoektocht naar de waarheid te vergemakkelijken. Waar de wetgever echter niet aan had gedacht, was dat er andere tijden voor de deur stonden, waarin niet langer de waarheid werd nagejaagd, maar het nieuws zelf. Dat had tot gevolg gehad dat de journalisten in hun ijver om met een goede scoop te komen, dat wil zeggen eentje die verkocht, niet alleen hun teksten konden manipuleren, maar ook hun bronnen. Soms gingen ze zover dat ze zichzelf tot bron bombardeerden of zelf bronnen creëerden, hetzij door als Mozes met een staf op de rots te slaan, hetzij door met een paar duizendjes te wapperen.

Kristina wist dat het niet veel zin zou hebben om met Hole-in-one een discussie over dergelijke onderwerpen aan te gaan, of met welke journalist dan ook. Ze kon alleen haar eigen privileges boven die van Hole-in-one stellen.

'Het onderzoek bevindt zich momenteel in een gevoelige fase; het kan nadelig zijn in dit stadium met informatie naar buiten te komen.' Ze klonk als haar antwoordapparaat.

'Bullshit! Ik dacht dat we elkaar begrepen.'

Dat had ze beter niet kunnen zeggen. Kristina had een hekel aan mensen die pretendeerden haar te begrijpen en ze had een nog grotere hekel aan mensen die beweerden dat zij hén begreep. Dergelijke beweringen bevatten een intimiteit die haar stoorde en kwaad maakte. 'Ik heb nog nooit een mens begrepen, dood of levend.'

Ze hoorde hoe Hole-in-one diep inademde.

'Goed. Je wilt dus niets zeggen.'

'Nee.'

'Duidelijk.'

De hoorn werd neergelegd. Ze wist dat ze de rekening nog wel gepresenteerd zou krijgen. Ze dacht na of het niet verstandiger was de contacten met de pers aan iemand anders over te laten. Maar wie? En wie was het lek? Want hoe kon Hole-in-one anders iets weten?

Maar ze had geen zin haar dag met dergelijke gedachten te verpesten. Het was bovendien niet ondenkbaar dat Hole-in-one aan het bluffen was. Ze ging voor het raam staan. Het regende nog steeds met die speciale, resolute klank die belooft dat het morgen ook zal regenen.

De hemel heeft zijn eigen tempo.

Ze gaf zich over aan de waanvoorstelling van een kosmische veiligheid. Maar een jonge vrouw uit Tallinn was erachter gekomen dat er uitzonderingen zijn. Een jager had haar geveld en nu werd hij zelf achternagezeten.

33

In Zweden kent men een cijfercombinatie waarvan we weten dat het niet de appel van goed en kwaad is die Eva in het Paradijs heeft geproefd, maar die net als de appel oceanen van informatie opent. Dat is het persoonsnummer. Een geboortedatum en vier extra cijfertjes. Weet je die combinatie, dan kun je van alles en nog wat over een persoon te weten komen.

Östen Nilsson hield niet op zich te verbazen over hoeveel er over ieder van hen was opgeslagen, zelfs over diegenen die op geen enkele manier de aandacht van De Politie of Het Rechtssysteem hadden getrokken.

Hij maakte zich zorgen over hoe gemakkelijk het was en hoe onfatsoenlijk. De staat werd een soort Peeping Tom en de onderdanen liveshowartiesten. Het was vast frustrerend om onopgemerkt te leven, maar om zo bekeken te leven was nog erger.

Het merkwaardige was dat de doorzichtigheid die het leven van de burgers kenmerkte, in veel mindere mate de zaken van de staat of het grootkapitaal kenmerkte. Het private werd steeds meer openbaar, terwijl het openbare steeds meer privaat werd. De radertjes waren zichtbaar, maar de machinerie niet.

Hij was zelf een radertje, en waarschijnlijk net zo doorzichtig als de meesten, misschien zelfs meer. Hij was er zeker van dat iemand af wist van zijn relatie met Eva, net zoals hij zelf wist dat haar man in een affaire met een schoonheidsspecialiste van het chique warenhuis NK was verwikkeld. Hij wist daarentegen niet of Eva ervan op de hoogte was en hij had nooit iets onthuld.

Met de intocht van de computers in het leven van alledag laat je overal waar je gaat sporen achter. Kroegrekeningen die je met je creditcard betaalt, geldopnames bij pinautomaten, telefoontjes die je pleegt of ontvangt, ziekenhuisbezoekjes, loonstrookjes, de auto waarin je rijdt.

Na een paar telefoontjes en een paar uurtjes achter de computer had hij een enigszins helder beeld van het leven van Jean Olivelöf. Hij was zelfs dingen te weten gekomen die Olivelöf zelf vast en zeker al was vergeten.

Zijn magische cijfercombinatie was 600312-1172. Dat was een goed begin, vond Östen, die door zijn minnares was ingewijd in de geheimen van de astrologie. Olivelöf was dus een Vis, dat wil zeggen een kunstzinnig type met talenten die potentieel alles tussen muziek en liegen omvatten.

Hij was enig zoon van Oskar Olivelöf en Martine Grelle, een charismatische Française die met haar erotische aquarellen een zeker succes had gehad in Zweden. Zijn Franse roepnaam had hij van haar geërfd en van zijn vader een vermogen.

Östen kwam tot de conclusie dat het huwelijk naar alle waarschijnlijkheid middelmatig was geweest; dat dacht hij van alle huwelijken met niet meer dan één kind. Op dat punt had hij ongelijk. Feitelijk viel het echtpaar Olivelöf-Grelle in de zeldzame categorie liefdesfanatici. Ze wijdden al hun tijd aan elkaar, wat nadelige consequenties had voor zowel het vermogen van de een als de kunst van de ander, en eveneens voor hun gezamenlijke kind, dat ongeliefd en eenzaam opgroeide aangezien de ouders slechts van elkaar konden houden.

Zijn schoolgang was alleen in zoverre imponerend dat hij al vroeg blijk gaf van wat later zijn leven inhoud zou geven: muziek en vrouwen. Op het internaat, waar hij semi-intern was, dat wil zeggen dat hij doordeweeks op school woonde maar de weekeinden thuis doorbracht, werd hij meteen het lievelingetje van de muzieklerares.

Zij was een dromerige ziel uit Noord-Zweden, achtentwintig jaar oud en hij zestien. Niemand weet wie wie verleidde, maar toen de verhouding bekend werd, kreeg zij de schuld. Haar blonde haar werd niet opgevat als bewijs van haar nobele intenties; ze kon de school verlaten en verliet na verloop van tijd ook de muziek, om op den duur te worden opgenomen in de moederschoot aller gelovigen, namelijk de Zweedse Kerk, en ze werd een van de eerste, hevig omstreden, vrouwelijke predikanten. Uit de erkenning van de zonde volgt de verlossing, dat was de heilige Augustinus ook al bekend.

Östen merkte hoe hij tegen zijn zin in Jean Olivelöf niet serieus nam en hij wist dat hij daar verkeerd aan deed. Een latere gebeurtenis verklaart niet alle eerdere gebeurtenissen ongeldig. Jean Olivelöf had dan misschien een vrouw vermoord, maar dat betekende niet dat hij niet van een andere vrouw kon hebben gehouden of dat hij niet had gehouden van de vrouw die hij had vermoord.

Östen had gelijk met zijn voorzichtigheid. Deze eerste verliefdheid in het leven van Jean Olivelöf werd mettertijd niet iets waar hij met zijn nieuwe vrouwen over praatte in dat stadium van kennismaking waarin je vertelt wie je eigenlijk bent. Feitelijk had hij het er nooit meer over, het werd nooit opgevoerd in het spel van de eerste waarheids- ontboezemingen. Zoals bekend, kent iedere verliefdheid twee waarheidsstadia. Het vroege stadium en het latere. Het eerste omvat alle redenen die ons de liefde van de ander waardig maken. Het latere omvat alle redenen die ons het recht geven niet langer van de ander te houden. Tussen deze twee stadia bestaat geen diametrale tegen- stelling, zoals men zou kunnen denken. Het is eerder zo dat het ene stadium de voorwaarden voor het andere schept. De ingebeelde waarheden van de liefde zijn de voorwaarden voor de leugens in halffabrikaat.

Jean Olivelöf kreeg het tweede grote verlies in zijn leven te verwerken. Het eerste was het verlies van zijn ouders, die door hun liefde veranderd waren in mossels die zich slechts voor elkaar openden.

Na zijn eindexamen ging hij door naar het conservato- rium in Stockholm, waar hij een paar jaar later als afge- studeerd solist vanaf kwam. Hem werd een schitterende toekomst voorspeld. Die kreeg hij niet. Niemand wist waarom. Dat is een van die dingen waarover niemand iets kan weten. Soms verandert de kikker in een prins en soms verandert de prins in een kikker.

Er volgde een aantal jaren van rusteloos dolen langs de hoofdsteden en mondaine badplaatsen van Europa. De weekbladen hadden een zwak voor hem en berichtten met enige regelmaat over zijn werkelijke of ingebeelde roman- ces met schoonheidskoninginnen, fotomodellen, jonge vrouwelijke musici en tomeloos rijke erfgenames.

Het viel niet te ontkennen: zijn carrière steeg, enkel en alleen om hem meer valhoogte te verschaffen.

De grote concertzalen hielden hun deuren voor hem gesloten. Zijn Amerikaanse manager belde steeds minder. Ergens onderweg verloor hij het vermogen zijn eigen weg te bepalen en begon hij te spelen als alle anderen. Speel je als alle anderen, dan zijn er altijd meer die beter spelen.

Jean Olivelöf had zijn derde verlies geleden. Wat restte waren slechts herhalingen. De trap die naar boven had geleid, leidde nu naar beneden en hij kwam de mensen weer tegen die hadden gezien hoe zijn rug zich verwijderde, maar nu zagen ze zijn gezicht op zich af komen.

Het was meer dan hij kon verdragen. Hij trok zich helemaal terug. In de tijdschriften van de laatste drie jaar was niets over hem te vinden. Dat waren de jaren waarin hij vermoedelijk had samengewoond met Natasha Filippovna. Dat waren de jaren die hem in een moordenaar hadden veranderd.

Hoe hadden ze elkaar ontmoet? Wie was zij eigenlijk?

Er waren heel wat vragen te stellen als ze hem te pakken kregen, wat Östen overigens betwijfelde. Als je geld hebt, kun je je altijd ergens verborgen houden. Wat de mensen het licht in drijft, is de behoefte aan geld. Heeft men die behoefte niet, dan is het barmhartige halfdonker goed genoeg.

34

De officier van justitie hield haar woord. De dag erop kwam de machtiging voor de huiszoeking binnen en Kristina liet geen minuut verloren gaan. Op zich maakte ze zich geen zorgen over de mogelijkheid dat Anja von Löwenmüller belangrijke sporen zou uitwissen. Ze was ervan overtuigd dat Von Löwenmüller niet meer wist dan ze had verteld. Maar ze kon de mogelijkheid dat Jean Olivelöf was opgedoken niet uitsluiten en in dat geval zou hij alle tijd hebben om op te ruimen wat moest worden opgeruimd. Ze spoorde Maria aan, die de oude Volvo van de politie bestuurde met een vaardigheid die iedereen was opgevallen, behalve Östen Nilsson.

Het was bewolkt en de regen van een dag eerder hing nog in de lucht als een nat zwempak. In het grote huis tegenover het landgoed Asknäs had Anja von Löwenmüller verscheidene lampen aangedaan.

Ze was niet verrast toen ze hen zag. Ze wist dat ze bezoek kon verwachten, aangezien ze reeds met de advocaat van de familie had gesproken en deze haar ervoor had gewaarschuwd dat een huiszoeking onvermijdelijk was.

Ze ontving hen beheerst en correct, terwijl Aljosa de gebeurtenissen volgde vanaf zijn stekje op de vloer voor de tv. Eigenlijk was ze allesbehalve rustig, haar opvoeding was alleen sterker dan haar stemmingen. Het leek of ze een slapeloze nacht had doorgebracht, heen en weer geslingerd tussen de wanhoop Jean niet te kunnen bereiken en de wanhoop misschien van een moordenaar te houden. Ze had er behoefte aan zijn stem te horen, ze verlangde ernaar te horen dat het allemaal een misverstand was, dat hij niets met Natasha Filippovna's dood te maken had.

Eén ding was echter zeker: dat Anja een lange nacht achter de rug had, maar 's ochtends opstond zoals altijd, haar thee dronk, Aljosa wakker maakte, met hem ging wandelen naar het strand en zich klaarmaakte om bezig te gaan met wat op haar wachtte.

Ze vroeg hun of ze iets te drinken wilden hebben. Dat wilden ze niet. Kristina nam de bovenverdieping en Maria de kelder. De ervaring wijst uit dat mensen dat wat ze in huis te verstoppen hebben, ofwel zo hoog mogelijk ofwel zo laag mogelijk verstoppen.

De bovenverdieping had vier kamers. In de slaapkamer was niets te vinden. Ze opende de klerenkast, verschoof de kasten, doorzocht planken zonder resultaat. Twee andere kamers net zo, een ervan deed dienst als Aljosa's slaapkamer. De vierde kamer werd niet langer gebruikt. Toen ze de deur opendeed, sloeg de kou haar in het gezicht. Ze zag een hometrainer, een trainingsbank en een metalen kast. Ze probeerde de kast te openen, maar die bleek op slot.

Ze vroeg Anja, die ervoor gekozen had met haar mee te lopen, of er sleutels van waren. Deze schudde haar hoofd.

Kristina riep Maria, die een aantal lopers bij zich had. Ze bekeek het slot geconcentreerd, daarna koos ze een loper. De verkeerde, wat haar deed blozen van schaamte, alsof het haar niet gelukt was de deur naar het paradijs te openen. De derde loper paste echter perfect. Het slot ging open met een klein klikkend geluidje.

In de kast hing een broek. Op de bodem lag een stapeltje plastic zakken.

'We zullen dit met ons meenemen.' Kristina kon haar stem maar nauwelijks beheersen. Ze ademde hortend, alsof ze had gerend, terwijl Maria diep zuchtte. Ze wisten allebei dat ze een paar belangrijke bewijsstukken hadden gevonden, maar het belangrijkste hadden ze nog niet: het wapen. Het was ook niet waarschijnlijk dat hij dat had bewaard, maar je kunt nooit weten. Ze doorzochten de bovenverdieping nogmaals. Niets.

Daarna gingen ze naar de kelder. Jean Olivelöf was niet iemand die slordig met zijn eigendommen omging. De spullen lagen niet kriskras door elkaar. Alle tuingereedschappen stonden keurig op een rijtje, net als oude meubels, lege wijnflessen, kranten.

Maria zocht naar een holte in de muur, terwijl Kristina over de vloer stampte op zoek naar hetzelfde. Maria was de geluksvogel. Achter de verwarmingsketel ontdekte ze een holte, stak haar hand erin en verstijfde.

Daar lag een pistool. Het pistool waar ze naar op zoek waren?

Het gerechtelijk laboratorium had gezegd dat het moordwapen vermoedelijk een Walther model PP was.

Het pistool dat Maria in handen had, was van hetzelfde fabrikaat. Ze opende het magazijn. Dat was leeg. Ze drukte het resoluut weer op zijn plaats.

'Avanti popolo!' Dat was Maria's overwinningsroep. Haar vader riep dat ook altijd.

'Daar is het nog te vroeg voor. Er zijn miljoenen Walther-pistolen op deze wereld.' Kristina klonk chagrijnig.

'Dat weet ik. Maar ik weet zeker dat het lab zal kunnen

aantonen dat dit het moordwapen is.'

'Ja ja, dat hoop ik ook.'

Het was raar, maar Kristina was bijna teleurgesteld. Tot nu toe had alles erop gewezen dat Jean Olivelöf de dader was. Nu bleek bovendien dat het pistool dat hij had verstopt, het moordwapen zou kunnen zijn. Diep vanbinnen had ze gehoopt dat dat niet zo zou zijn. Ze had eerder kennisgemaakt met moordenaars, ze waren niet opvallend anders dan andere mensen, maar ze haatte de gedachte dat een musicus, in het bijzonder een zo goed musicus als Jean Olivelöf, een mens had gedood. Ze wilde niets liever dan de schuldige te pakken krijgen, maar ze hoopte dat het niet Jean Olivelöf was.

'Dit ziet er niet goed voor hem uit.' Had ze het tegen Maria of tegen zichzelf?

'Je klinkt bijna ontevreden.' Maria kon haar irritatie niet verbergen.

'Ik heb de hele tijd het ongemakkelijke gevoel dat dit veel te eenvoudig is.'

'Hoezo? Omdat hij mooie ogen heeft en viool speelt?'

Kristina had geen zin in ruzie. 'Ja, gedeeltelijk. Maar vooral omdat de man die we achternazitten, in de kerk heeft gespeeld terwijl ik daarbij was. Het is zo onwaarschijnlijk.'

Maria dacht een poosje na. Daarna zei ze bijna fluisterend, alsof ze niet wilde dat Kristina het zou horen en zelfs alsof ze het zelf niet wilde horen: 'Het hele leven is onwaarschijnlijk.'

Haar stem klonk niet verbitterd. Het hield alleen een soort verzoek in aan de hemelse machten. Waarom was het leven niet iets minder grotesk?

Ze stond op het punt als een etterbuil open te barsten. Hoe had het zover kunnen komen? Waarom had ze het gezwel laten groeien? Zij en haar man waren jong, gezond, ze waren verliefd op elkaar geweest, ze hadden een thuis. En toch... wat het minst waarschijnlijk was, was hun werkelijkheid geworden.

'Nee maar, Maria, meisje! Waarom huil je?'

'Ik huil helemaal niet!' Als een koppig kind droogde ze haar tranen met haar vuisten.

Kristina had ooit een man gekend die haar zo aaide. Hij kon haar niet met open handpalmen aaien. Ze had ervan gehouden. Er zat een dreiging in de liefkozing, een vuist is een dynamisch systeem. Het was langgeleden, op een strand in Biarritz, waar ze als negentienjarige naartoe was gelift. Thuis had ze gezegd dat ze zou reizen tot waar de weg eindigde, maar de weg eindigde in de schoot van een dertigjarige Baskische vrijheidsstrijder die net uit de gevangenis was ontslagen. Hij was gedwongen haar met zijn vuisten te aaien, omdat de Spaanse geheime politie zijn handen kapot had gemaakt.

Ze deed een stap in Maria's richting, maar bleef staan toen ze Aljosa ontdekte, die de kelder in was geslopen en met zijn grote ogen naar hen keek, alsof die ogen ooit zozeer door iets verblind of beangstigd moesten zijn, dat je je niet kon voorstellen dat hij ze dicht kon doen.

Wat kon dat zijn?

Tegelijkertijd keerde Maria zich per ongeluk naar hem om met het pistool in haar handen. De jongen verstijfde.

Kristina viel naast hem op haar knieën. Aljosa hield zijn adem in en beefde alsof hij onder stroom was komen te staan. Ze trok hem naar zich toe. Het smalle lichaam was onverwacht zwaar.

'Ik heet Kristina. Hoe heet jij?' probeerde ze.

De jongen staarde naar het pistool in Maria's hand.

'Heb je dit pistool eerder gezien?'

Aljosa maakte een heftige beweging, glipte uit haar armen en rende weg.

'Arme ziel!' Maria herkende angst wanneer ze hem zag. Is er iets erger dan bang te zijn voor degene van wie je houdt?

Ze liepen naar de begane grond. Anja von Löwenmüller stond in de keuken een boterham voor Aljosa te smeren, die met zijn handen in elkaar gevlochten aan de keukentafel zat in een poging zijn schrik te bedwingen.

'We hebben helaas slecht nieuws.' Kristina deed haar best zo onpersoonlijk mogelijk te klinken.

Anja draaide zich langzaam naar hen om. 'Ik weet het. Jullie hebben Jeans pistool gevonden. Hij is wedstrijdschutter geweest.'

'Dit is geen wedstrijdpistool.' Maria wist dat.

Anja haalde haar schouders op alsof het haar niet interesseerde, maar ze belegerden haar.

'Heeft hij opgebeld? Hebben jullie contact met elkaar gehad nadat wij hier zijn geweest?'

'Nee.'

'Dus u weet niet waar hij is?'

'Nee.'

'Wanneer hebt u hem voor het laatst gesproken?'

'Twee weken geleden... ongeveer.'

'Waar was hij toen?'

'Dat vertelde hij niet.'

'En u vroeg er niet naar?'

'Het heeft geen zin om Jean vragen te stellen. Hij geeft

alleen antwoord als hij antwoord wil geven.'

'Maar wat zei hij toen hij wegging?'

'Hij zei niets. Hij ging gewoon weg. Zo is hij. Hij wil niet worden bewaakt. Ik ging er zelf van uit dat hij moest spelen.'

Nam ze hem in bescherming?

Kristina kwam er niet uit. Maria daarentegen wel. Dat deed ze vast. Vrouwen schikten zich in van alles en nog wat, dat had ze zelf ook gedaan. Het heeft er niet altijd mee te maken dat ze zwakker zijn dan hun man. Soms heeft het ermee te maken dat ze sterker zijn. Anja kwam niet op haar over als slachtoffer van iets anders dan haar eigen kracht. Ze had medelijden met haar.

Ze draaide zich om naar Kristina, die maar naar haar hoefde te kijken om te begrijpen dat het tijd was om Anja von Löwenmüller met rust te laten.

Ze zouden juist weggaan, toen Anja hun verzocht een ogenblik te wachten. Ze liep snel de keuken uit en kwam even haastig terug.

'Hier. Het zou me een plezier doen als u dit aan zou willen nemen. We hebben opnames gemaakt op de avond dat u in de kerk was.'

Kristina's eerste, voorgeprogrammeerde impuls was om nee te zeggen. Ze wist dat het verkeerd was geschenken aan te nemen, maar het was net zo verkeerd om een geschenk als dit af te slaan. Dus nam ze het in ontvangst met om haar lippen een glimlach die bedoeld was om haar verwarring te verbergen, maar die deze daarentegen juist onderstreepte.

Toen ze buiten kwamen, was de bewolking iets dunner geworden. Een zon, zonder gouden handdruk met pensioen gestuurd, keek voorzichtig door haar wimpers naar de wereld, benauwd voor wat er daar beneden was te zien. Toch was het mooi. De kerk van Ekerö verrijkte in de verte de horizon met eerzame bedoelingen.

'Kom. Ik wil je iets laten zien.'

Kristina reed naar het kerkhof waar ze op het graf met het portret afstapten.

'Je weet wie zij is?'

'De zus over wie je het had.'

'Ja.'

'Ook zij werd vermoord.'

'Ja.'

'Hebben ze degene die het gedaan heeft te pakken gekregen?'

'Nee.'

Maria deed een stap van het graf af.

'Waarom geeft God ons het leven, wanneer een wille-keurige persoon ons ervan kan beroven?'

Kristina kon die vraag niet beantwoorden. Dat heeft nog nooit iemand gekund.

Daarom zei ze niets.

35

Alexandra Filippovna had twee kinderen ter wereld ge-bracht. Ze was een gelukkige vrouw geweest. Haar echt-genoot Ivan Filippov was piloot bij Aeroflot, hij verdiende goed en behoorde, zolang de klassenloze maatschappij der communisten bestond, tot de bovenklasse. Toen viel het communisme, op Aeroflot werd op alle mogelijke manieren beknibbeld, de service op de grond verslechterde aanzienlijk, de vliegvelden raakten langzaamaan met paddestoelen en jeneverbesstruiken begroeid, vliegtuigen verouderden zonder charme en piloten vlogen op eigen risico.

Toen stierf Ivan, niet door een ongeluk, waarvoor hij bang was geweest, maar door de wodka die hij dronk om zijn angst te verdoven. Zijn lever explodeerde als een vliegtuigwiel.

De weduwe bleef achter met twee mooie, rusteloze meisjes. Met haar onderwijzersloon hield het niet over. Tallinn, waar ze als veroveraars heen waren gegaan, sprak nu een banvloek uit over alle Russen die na de zelfstandigheid in het land waren blijven wonen. De weg van bovenklasse naar niet-staatsburger is lang, en je kon niet anders zeggen dan dat Alexandra Filippovna hem met waardigheid en wijsheid was gegaan.

Voor haar dochters lag het moeilijker. De oudste, Irina, had behalve haar uiterlijk niets om in de strijd te gooien. Ze was nauwelijks achttien jaar toen ze Tallinn verliet om een Griekse koopman achterna te gaan, die haar echter in Stockholm dumpte omdat hij thuis in Athene zowel zijn vrouw had om voor te zorgen als een erg veeleisende minnares. Hij liet haar achter met een kind in haar buik en een som geld, die ze slim benutte voor het openen van een gecombineerde salon waar ze gestreste heren massages aanbood en hun minstens zo gestreste vrouwen gezichtsbehandelingen.

Alles was uiteindelijk op zijn pootjes terechtgekomen.

Ze kreeg een jongetje, dat ze om haar moeder een plezier te doen Alexander doopte, maar ze noemde hem Aljosa.

Ze was eraan gewend om allerlei soorten mensen te verwelkomen en op een avond verwelkomde ze de verkeerde persoon: haar moordenaar. Ze werd doodgestoken en met uitgestoken ogen gevonden. Haar moordenaar werd nooit gevonden.

Alexandra Filippovna kon niet naar Zweden komen om haar oudste dochter te begraven. Ook kon ze de zorg voor het kleinkind niet op zich nemen, omdat ze het niets kon bieden. Aljosa werd tot nader order in een Zweeds gezin geplaatst.

Nu was ze in Zweden om haar jongste dochter te begraven. Dat had ze nooit gedacht. Natasha was heel anders dan haar zus. Ze was goed op school, was topturnster en had tot haar negentiende niets met jongens uit te staan.

Toen gebeurde iets waardoor ze radicaal veranderde. Haar trainer werd haar minnaar. Zij raakte in verwachting, hij was getrouwd. Ze wilde het kind koste wat kost houden en dat deed ze dan ook. Als gevolg van alle doping die de trainer haar dwong te nemen, kwam het kind ernstig misvormd ter wereld en het werd achtergelaten in een tehuis ver van Tallinn. Daarna zette hij een punt achter hun relatie en deed zij een poging een punt achter haar leven te zetten. Ze begon 's nachts weg te blijven, kocht kostbare kleren, maakte zich zwaar op, rookte lange, geïmporteerde of gesmokkelde sigaretten.

Alexandra wilde het niet geloven, maar moest uiteindelijk de gedachte accepteren dat haar dochter haar goedgetrainde lichaam benutte voor andere oefeningen dan die op de balk. Ze probeerde met haar te praten, maar Natasha kreeg een woede-uitbarsting, gooide voorwerpen door de kamer en schreeuwde dat als ze een hoer was, dat dat dan haar probleem was en dat trouwens iedereen een hoer was en dat de enigen die geen hoer waren, pooier waren.

Alexandra raakte eraan gewend 's nachts te waken en angstig te liggen wachten tot ze haar dochters hakken op de trap hoorde, om dan snel het licht uit te doen en te doen alsof ze sliep. Soms huilde ze zonder dat ze dat wilde. Ze kon haar kop thee zitten drinken als er plotseling tranen in haar ogen stonden, ongeveer als een onverwachte regenbui.

Ze was niet langer een gelukkige vrouw.

Maar soms kon ze even uitademen. Natasha pakte haar oude leventje weer op. Vroege avonden, lange uren op het turninstituut, geen make-up, geen gerook. Ze was verliefd. De man was kennelijk een soort muzikant uit Zweden die viool speelde in een groot hotel in Tallinn. Daar had Natasha hem ontmoet en hij had beloofd om haar, zodra zijn contract met het hotel afliep, mee te nemen naar Zweden.

Alexandra vroeg of ze hem kon ontmoeten en dat bleek, verrassend genoeg, geen enkel probleem. Hij kwam bij hen thuis langs, had bloemen bij zich voor Natasha en chocola voor Alexandra. Hij was elegant, had mooie ogen en handen, behalve de vingers van zijn linkerhand, die bijna misvormd waren en die er een voor een uitzagen als de duimen van een schoenmaker.

Alexandra bracht het gelukkige stel naar de boot en de eerste twee jaren waren onbewolkt als een zomerse dag.

Ze sprak haar dochter iedere week en altijd was het Natasha die belde, zodat het magere budget van haar moeder niet belast zou worden. Natasha zorgde ook voor het zoontje van haar zus, dat zijn moeder had verloren.

Ze zaten in de conferentiezaal van het politiebureau van Huddinge. Kristina en Maria die, samen met de tolk, Alexandra Filippovna van het vliegveld had opgehaald.

De tolk, die luisterde naar de volkomen Zweedse naam Johanna Eklund, was erg jong, nog maar vierentwintig jaar. Ze sprak vloeiend Russisch, omdat ze praktisch was opgegroeid in Moskou, waar haar vader als kok op de Zweedse ambassade werkte.

In de twee jaar dat ze als tolk werkte, had ze veel ellende te zien gekregen, maar de vraag was of deze dag niet de zwaarste tot nu toe was. Het verdriet van Alexandra Filippovna te moeten aanschouwen, op het moment dat ze haar dochter identificeerde, was meer dan ze aankon. Ze huilde minstens zoveel en moest ook worden opgevangen. Nu schaamde ze zich een beetje en probeerde haar professionele rol weer op te nemen door met regelmatige tussenpozen onnodig haar keel te schrapen. Er was niets mis met haar stembanden.

'Wanneer hebt u voor het laatst contact gehad met uw dochter?' vroeg Kristina en Johanna Eklund vertaalde.

Filippovna gaf meteen antwoord. 'Dat was 16 november vorig jaar. 's Avonds. Ze belde, zoals gewoonlijk, maar klonk een beetje anders, een beetje gestrest. Ik vroeg haar of er iets aan de hand was. Ze verzekerde me dat dat niet zo was, dat ze het alleen maar druk had, ze waren op weg naar het buitenland waar haar man een baan had gekregen. Ze zei dat ik me niet ongerust hoefde te maken en

dat ze zou bellen zodra ze "hun schoenen hadden uitgetrokken", zoals ze zei.'

'Wat gebeurde er toen?'

'Toen hoorde ik niets meer. Na een maand heb ik
contact opgenomen met de politie in Tallinn, die daarop
kennelijk hier bij de politie navraag deed. Meer dan dat
het gezin in het buitenland was, kwamen ze niet te weten.
Ik stelde me daarmee tevreden. Na nog een maand nam ik
weer contact op met de politie. Maar ik heb niets meer van
hen gehoord.'

'Waarom nam u niet nog eens contact met hen op?'

Filippovna schudde haar hoofd, alsof ze wilde zeggen
dat dat toch nergens goed voor zou zijn geweest. Het was
niet langer haar politie, de Russen in Estland waren ont-
menselijkt, zoals de joden tijdens de Tweede Wereldoorlog.

'Als Aljosa Natasha's kind niet is, waar is haar kind
dan?' vroeg Kristina. Filippovna boog haar hoofd en
zweeg een tijdje.

'Ik weet het niet.'

'U weet het niet?'

'Nee.'

'Weet u of uw dochter contacten onderhield met het
criminele circuit? Was ze drugsgebruikster?'

Filippovna haalde haar schouders op. 'Hoe zou ik dat
moeten weten? Maar het is niet onmogelijk.'

Kristina's vragen plaagden haar. Ze deden haar inzien
hoe weinig ze wist. Als ze zich er meer voor had geïnteresseerd? Als ze met harde hand had opgetreden? Misschien was dit dan allemaal niet gebeurd.

'Ben ik nog niet genoeg gestraft?' fluisterde ze, vooral
voor zichzelf.

Dat was ze. Ze had twee dochters ter wereld gebracht. Ze had geen familie over, behalve een mismaakt kleinkind ergens in Estland en een autistisch kleinkind in Zweden. Ze had op deze aardkloot geen wortel geschoten.

Ze vroeg wat er nu met Aljosa zou gebeuren.

'Voorlopig heeft hij het goed waar hij nu zit. Daarna moeten we nog zien', antwoordde Kristina.

Filippovna was nu helemaal alleen.

'Heb ik geen recht om hem met me mee te nemen?' vroeg ze verlegen.

'Uiteraard. U bent immers zijn naaste familie. Maar het hangt er ook van af wat Aljosa wil.'

Kristina wilde er nu niet aan denken. Wanneer kinderen in het spel zijn, wordt alles erg ingewikkeld. Als Aljosa zich had gehecht aan Anja von Löwenmüller en Jean Olivelöf, zou het misschien onnodig wreed zijn hem van hen te scheiden. Tegelijk was het mogelijk dat Jean Olivelöf de vrouw die Aljosa als zijn moeder beschouwde had gedood. Hoe billijk was het in dat geval dat Jean Olivelöf hem zou mogen behouden?

Maar dat was gelukkig niet haar afdeling. Wat zij kon doen, was in ieder geval Alexandra Filippovna helpen om ten minste haar kleinkind te ontmoeten en dat beloofde ze. Daarna bedankte ze haar voor haar hulp en liet haar door Maria en de tolk terugrijden naar hotel Aston op het Mariatorget, waar de prijzen te overzien waren. Dergelijke kosten belastten Kristina's budget, ze moest zuinig zijn en zich inhouden. Dat maakte haar kwaad en moe. Maar ook daar kon ze niets aan doen.

36

De dag erop kwam er een fax van het gerechtelijk laboratorium die een grote teleurstelling inhield. Het pistool en de kogel die de gerechtsarts had gevonden, rijmden niet goed met elkaar. Ze hadden de kleren ook onderzocht en een bloedvlek gevonden op de omslag van de linkerbroekspijp, die voor verdere analyse was doorgestuurd.

Kristina belde de officier van justitie en vroeg of ze kon langskomen.

'Kom wanneer het je uitkomt. Ik ben de hele dag hier.'

'Hier' was de arrondissementsrechtbank in Huddinge. Het hele gebied was in het verleden de bodem van een meer geweest en een paar jaar geleden was de rechtbank bijna de Onderwereld in gezakt, totdat men opnieuw had geheid. 'De gerechtigheid staat op wankele grond', hadden de rechters onder elkaar gegrapt als ze een biertje dronken in het eetcafé Udden, daar in de buurt, en ze wisten dat ze het bij het rechte eind hadden.

Kristina pakte de Fiat om erheen te rijden, maar ineens was er geen haast meer bij. In plaats van af te slaan naar de Huddingevägen, reed ze de andere kant op, liet de auto staan in de omgeving van het afvalbrengstation in Visätra en nam het pad dat het bos in liep. De grond was drassig, het water spatte rond haar enkels, maar ze liep met snelle passen, alsof ze haar eigen schaduw wilde kwijtraken. De zon kwam een paar meter boven de boomtoppen uit en scheen met een licht dat als ironie kon worden opgevat. Er hing geen warmte in de lucht, geen enthousiasme. Het was een zon die in een kelder beter tot zijn recht zou komen.

Ooit, toen ze tien, elf jaar was geweest, was ze met een vriendin het hele bos door geskied naar Lida gård, waar haar vader hen stond op te wachten. Het had hen vijf uur gekost, uren die ze hadden doorgebracht met enge verhalen, die ze elkaar vertelden om bang te worden en dat was gelukt. Toen ze aankwamen, trilden ze beiden van schrik en moeheid.

Waar is dat meisje gebleven? Ze bedoelde haarzelf, niet het vriendinnetje.

Wij zijn in de tijd, maar de tijd zou zonder ons niet bestaan.

Haar hersens kookten.

Ik ben aan het hyperventileren.

Ze ging langzamer lopen.

Wat is er met me aan de hand?

Ze ging nog langzamer lopen.

Uiteindelijk stond ze stil.

Ik heb bijna meer medelijden met de moordenaar dan met het slachtoffer. Ik ben een oud sentimenteel wijf aan het worden. Waarom stel ik mezelf steeds de vraag of mijn man nog wel van me houdt? Waarom stel ik mezelf niet de vraag of ik van hem hou? Hou ik van hem? Of vind ik alleen maar dat ik dat moet? Hoe zegt papa dat ook alweer? Men zou een stuk minder treuren als men niet van mening was dat men dat moest doen. Misschien geldt dat ook wel voor de liefde. Hoe kun je onderscheid maken tussen gevoel en opvattingen over hoe dat gevoel zou moeten zijn? Misschien is liefde wel helemaal geen gevoel, maar alleen maar een hoeveelheid opvattingen.

Mijn god, ik word gek. Ik moet mijn kop erbij houden.

Wat moet je doen om je kop erbij te houden? Je ademt rustig in door je neus en uit door je mond. Je leegt je hoofd van alle gedachten. Je rookt een sigaret. Maar als zoveel anderen was ze gestopt. Als er geen wapenfeiten meer kunnen worden verricht en geen deugden kunnen worden gekweekt, dan kun je altijd nog stoppen met roken. Dat is de laatste deugd. Heb je verder in je leven niets bereikt, dan ben je in ieder geval gestopt met roken.

'Goed zo. Zo hoor ik het graag. Nu ben je jezelf weer.' Ze gaf zichzelf een klapje op haar kont.

Ze ging in de auto zitten en reed naar de rechtbank van Huddinge.

Mitsuko bood haar een kop geurende thee aan. Kristina bracht snel verslag uit van de situatie.

'Het lijkt erop dat er ernstige bezwaren tegen hem zijn. Ik zal verzoeken een internationaal arrestatiebevel te laten uitgaan.' Ze werd ijverig. 'We moeten hem te pakken krijgen. We weten allebei hoe dat gaat met Interpol.'

Dat wisten ze maar al te goed.

Ze vertrouwden niet op Interpol. Niet omdat de organisatie op enige wijze incompetent was, maar ze had te veel te doen. Er waren duizenden opsporingen, duizenden tips, duizenden sporen te volgen. Men stelde harde prioriteiten, was daartoe gedwongen. Een vrouwenmoordenaar had geen hoge prioriteit als men tegelijkertijd op jacht was naar seriemoordenaars, politiemoordenaars, volkenmoordenaars, vrouwenhandelaren, drugsbaronnen, wapenhandelaars, zwendelaars, beroepshelers, terroristen enzovoorts.

'Heb je een voorstel?' vroeg Kristina.

Mitsuko aarzelde. Maar toen zei ze: 'Ik vind dat we zijn telefoon zouden moeten afluisteren. Vroeg of laat zal hij vast en zeker naar huis bellen.'

'Je weet dat de rechtbank op dat punt erg restrictief is.'

'En terecht. Maar de wet is duidelijk. De politie heeft het recht iemands telefoon af te luisteren wanneer het een misdaad betreft waar minstens een jaar gevangenisstraf op staat. En in dit geval hebben we het over moord...'

'Ik ken de wet ook.'

'Maar?'

'Maar ik ben allergisch voor het afluisteren van telefoons. Ik zal het wel van mijn vader hebben die er in Oost-Duitsland meer dan genoeg van heeft meegekregen.'

Mitsuko lachte kort. 'Volgens mij zijn we allebei een papa's kindje, of niet?'

Daarna werd ze weer serieus, wat in haar geval inhield dat de brede glimlach werd vervangen door de kleinere glimlach, ongeveer zoals wanneer je een zonnebloem weghaalt en een sneeuwklokje ervoor in de plaats zet.

'Tja, ik hou ook niet van het afluisteren van telefoons. Er is een uitspraak van de rechtbank voor nodig, dat wil zeggen extra werk waarvoor extra personeel nodig is, en je kunt ook vinden dat misdadigers evenveel recht hebben om hun geheimen voor zich te houden als wij hebben om ze te onthullen. We weten dat hij het is. We weten niet waar hij zich bevindt. We moeten hem vinden, en het afluisteren van zijn telefoon kan een manier zijn om hem op het spoor te komen. Ik vind dit geval glashelder.'

Kristina moest dat wel toegeven.

Op weg terug naar het bureau stopte ze het bandje met Mendelssohn in de cassetterecorder. De heldere toon van

Jean Olivelöfs viool kuste de cello van Anja von Löwen-müller op het puntje van zijn neus en flirtte met hem. Het waren de eerste uitstapjes van de liefde die weldra door andere, veel donkerdere uitstapjes zouden worden ge-volgd.

Er zaten twee zwakke plekken in haar bewijsmateriaal. Ze was er niet zeker van dat ze het moordwapen had gevonden. Nog zorgwekkender was dat ze geen aanneme-lijk motief had kunnen vinden. Ze kon er zelfs niet een verzinnen. Waarom had hij een moord gepleegd?

Waarom?

37

Maria zat in een diepe, leren fauteuil in de vestibule van hotel Aston te wachten op de jonge tolk Johanna Eklund, die zich met het recht van haar leeftijd klaarblijkelijk had verslapen.

Het was een ochtend die op het reservebankje thuis-hoorde. Hij zou namelijk meer tot zijn recht komen als middag. Het plein waaraan het hotel lag, had onlangs een gedaantewisseling ondergaan. Iemand, ergens bij een of andere overheidsinstantie, had het idee gekregen dat een plein net zoiets is als een kledingstuk. Je trekt gewoon iets anders aan. Om die reden had men alle struiken, die prieeltjes hadden gevormd waarin afgezonderde bankjes rust en geheimpjes boden, uit de grond getrokken. In plaats daarvan had men bloemen geplant, die weliswaar mooi waren, maar het plein eerder het uiterlijk van een stuk erf gaven. Alleen de rijtjeshuizen ontbraken nog.

Het was een grauwe en slome ochtend en een trieste opdracht. Samen met de tolk zou ze Alexandra Filippovna naar Ekerö brengen om het kleinkind te ontmoeten dat ze nog nooit had gezien.

Maria had haar eerst niet gemogen. Ze had altijd gedacht dat een zeventigjarige Russin een hoofddoek zou dragen en te zwaar zou zijn. Zo zagen ze eruit op tv, maar zo zag Filippovna er niet uit. Ze was lang, met een rechte rug, slank. Ze was een mooie vrouw geweest en dat wist ze. Ze droeg een trots met zich mee die slecht rijmde met haar situatie. Haar stem had een zekere heesheid, waarschijnlijk een beroepskwaal, en je kon merken dat ze niet verwachtte te worden tegengesproken. Ze had bovendien de onplezierige gewoonte je recht in de ogen te kijken.

Heel dit harnas van een leven als mooie, aantrekkelijke en succesvolle vrouw viel van haar af, toen de baar met het lijk van Natasha uit de vrieskamer werd gerold. De dood stapte naar voren en kuste haar op haar mond als om haar gebrul, dat iedereen om haar heen met angst vulde, te onderdrukken.

De tolk rende de kamer uit, de patholoog-anatoom zocht in een tas naar een kalmerend spuitje, Kristina hield haar armen stijf over haar borst gekruist.

Alleen Maria had de tegenwoordigheid van geest om naar Filippovna toe te gaan. Ze drukte haar vastberaden tegen zich aan. Tegelijkertijd dacht ze aan haar miskraam, hoeveel verdriet ze toen had gevoeld. Nu was ze daar haast dankbaar voor.

Filippovna voelde de warmte die uit Maria's schoot omhoogsteeg, ademde haar in, verzachtte, om uiteindelijk volledig in elkaar te zakken terwijl ze met haar hese stem steeds dezelfde zin herhaalde. Ze hadden geen tolk nodig om die te verstaan. Ze citeerde in het Aramees de woorden van Jezus aan het kruis.

Als het vlammende zwaard van de engel trof het besef Kristina. Te sterven met een citaat op de lippen moet wel het uiterste lot van de cultuurmens zijn. Waar zijn de werkelijke woorden? Die woorden die nog niemand eerder heeft gezegd?

Nergens. De wereld was één groot citaat geworden. Hij deed evenveel pijn als vroeger, maar de pijn had mooie raamwerken gekregen, soms veel te mooi. Niemand kon nog langer zichzelf zijn. Het ik was niets anders dan een verzameling citaten, de vlaggenstok waaraan je vlag wapperde, maar het was een vlag die door anderen was getekend, door anderen was genaaid. Het enige wat je gedaan had, was hem kopen.

Zo stonden ze daar, vier mensen die eigenlijk niets, of heel weinig met elkaar hadden uit te staan. Ze waren daar naartoe getrokken door hun lot, door hun werk, maar vooral door het toeval. Het had om heel andere mensen kunnen gaan, om heel andere lotsbestemmingen. De dode had een ander geweest kunnen zijn. De stad had een andere geweest kunnen zijn, net als de dag en het uur.

Maar nu waren ze daar. Als verwonde dieren zochten ze elkaars nabijheid, vormden een ruimte binnen de ruimte, een eigen tijd binnen de tijd, tot alles voorbij was. Filippovna ademde weer rustig, de jonge Johanna Eklund kwam terug met nieuwe mascara op en het leven ging door, niet alsof er niets gebeurd was, maar ondanks dat er zoveel was gebeurd.

'Het spijt me verschrikkelijk, de wekker ging niet.'

Maria stond haastig op, alsof ze zich wilde bevrijden van het gevoelsmoeras van gisteren.

'Het is niet erg. De beste wekkers zijn de wekkers die niet gaan. Toen ik zo oud was als jij, had ik ook zo'n wekker. Ze worden niet in Zwitserland gemaakt, zoals alle andere wekkers.'

Johanna moest lachen. Ze was opgelucht dat haar onschuldige leugentje was ontmaskerd en vergeven. Natuurlijk was de wekker gegaan en niet alleen zij was wakker geworden, maar ook Richard III, die haar vriendje was en toneelspeler wilde worden. Hij was nog op die gelukkige leeftijd dat men met een zwabberende identiteit en een opgeheven lid wakker wordt. Mettertijd wordt dat net andersom.

De herinnering aan wat er toen gebeurde, materialiseerde zich in een glimlach die haar mond op een vleesetende bloem deed lijken.

Maria klopte haar op de schouder. 'Het is tijd om madam te halen.'

Op de een of andere manier wilde ze toch een zekere afstand tot Alexandra Filippovna markeren. Dat was het resultaat van haar specifieke moralistische mengsel, dat bestond uit gelijke delen Italiaans katholicisme, pragmatisch Zweeds protestantisme en de mores van haar geboortedorp Rågsved.

Vrij vertaald betekende dat dat ze medelijden had met Filippovna en haar tegelijkertijd medeverantwoordelijk hield voor wat er was gebeurd. Ze had vast en zeker haar even mooie dochters de speciale arrogantie meegegeven die sommige mensen uitstralen en die niet het resultaat is van wat ze zeggen of doen, maar van hóé ze praten of handelen en vooral van hoe ze je bekijken.

Ze ontwijken je niet, ze kijken ook niet recht door je heen, ze kijken simpelweg langs je heen. Hun oogopslag krijgt een soort teflonlaagje waarop je geen grip krijgt. In Rågsved noemde men zulke mensen strontvoornaam, wat iets heel anders is dan voorname stront. Haar moeder had het over de prinses op de erwt en haar vader verkondigde dat dat soort figuren denken dat ze de slippendrager van de paus zijn.

Alexandra Filippovna was zenuwachtig voor de ontmoeting met een kleinkind dat ze nooit had gezien. Wat zou ze zeggen? Wat zou ze doen? Sprak het kind Russisch?

Ze zat voor in de auto, zei niet veel. De tolk kreeg alle tijd van de wereld om aan Richard iii te denken. Filippovna reageerde alleen maar toen ze voorbij het paleis Drottningholm reden.

'Daar woont de koning', verklaarde de tolk.

'Oj voj! Silvia! Otsjen krasivaja djevoesjka!'

'Ja ja', mompelde Maria bijna onhoorbaar, en ze trapte het gaspedaal in.

Anja von Löwenmüller en Alexandra Filippovna namen elkaar tot wederzijdse tevredenheid een kort ogenblik op. Allebei wilden ze het de ander zo veel mogelijk vergemakkelijken. Ze begrepen meteen dat ze het met elkaar zouden kunnen vinden. Maar ze hadden niet op Aljosa gerekend, die zich niet wilde laten zien en niet scheen te begrijpen dat het zijn oma was die met een onzekere glimlach om de lippen voor hem stond.

Het was duidelijk dat hij de volwassenen niet vertrouwde. Zijn echte mama werd hem ontnomen, hetzelfde gebeurde met zijn tweede mama en hij was bang dat ook Anja hem in de steek zou laten. Hij had haar af en toe zien huilen, hij wilde haar troosten, maar hij durfde niet. Ooit had hij geprobeerd Natasha te troosten na een ruzie met de man die hij als zijn vader beschouwde en die nu ook weg was. Natasha was niet alleen ontroostbaar, ze werd boos op hem en duwde hem van haar af. Ze hield er niet van dat kleine jongetjes aan haar zaten.

Hij stond roerloos, met zijn hoofd gebogen. Alexandra had een cadeautje voor hem. Het was het Russische leesboek voor de eerste klas. Hij had al zo'n boek; toen ze vrolijk was, lazen hij en Natasha wel eens samen. En ze was lange tijd vrolijk geweest voordat ze ziek werd, overgaf, zich op de slaapkamer verstopte en met geen mens wilde praten.

Aljosa nam het cadeau aan en glimlachte. Alexandra pakte voorzichtig zijn hand en vroeg of hij een wandelingetje met haar wilde maken. Tegelijk zocht ze de blik van Anja om zich ervan te verzekeren dat het geen probleem was. Dat was het niet. Integendeel, Anja spoorde Aljosa aan met zijn oma mee de tuin in te gaan, hij kon haar vertellen hoe de bloemen en de bomen heetten.

Aljosa stond nog steeds met het boek in zijn handen. Toen zei hij iets. 'Papa boem-boem. Mama au-au.'

Hij had bijna een halfjaar lang niets gezegd. Hij was zelf nog verbaasder dan de anderen.

'Wat zegt de jongen?' vroeg Alexandra, die het best had verstaan.

'Hij weet niet wat hij zegt!' Anja von Löwenmüller zag bleek als de werkgelegenheidspolitiek van de regering.

Aljosa wist wat hij zei. Het waren juist die woorden die hem zo lang hadden geblokkeerd. Hij had vaak in bed gelegen en geprobeerd die woorden te zeggen, zonder dat het hem lukte. Nu was het hem gelukt en hij was bijna dronken van opluchting. Hij wilde keer op keer de woorden proeven. Hij rende de tuin in een riep de hele tijd: 'Papa boem-boem. Mama au-au.'

Alexandra Filippovna liep hem achterna.

Anja ging moeizaam op een rechte stoel zitten. 'Wat de jongen zegt, heeft niets te betekenen.'

Maria wilde haar op de een of andere manier troosten. Toch had ze gelijk. Men zou de woorden van Aljosa kunnen aanhalen, maar het zou voor een kundige advocaat niet moeilijk zijn er gehakt van te maken.

Buiten in de tuin kon ze Filippovna en Aljosa zien. Nog even, dan moest ze haar weer naar het vliegveld brengen. Alles wat ze kon doen was dit korte ogenblik iets langer laten duren. Daarna zou Filippovna teruggaan naar haar tweekamerappartement in Tallinn, ze zou niet wachten op een telefoontje, ze zou zich niet langer om haar twee dochters ongerust maken. Ze waren dood. Ze zou alleen maar rouwen, totdat ze ook dat niet langer kon opbrengen.

Wat zou Anja von Löwenmüller doen?

Er was geen twijfel meer mogelijk. Ze hield van een moordenaar, ze droeg zijn kind in haar lichaam. Hoe zou zij leven?

Maria wilde haar troosten, wilde haar kracht en hoop geven. Hoe doe je dat? Wat moet je doen?

Niets.

Maar de jonge Johanna Eklund wist het. Ze liep naar de keuken en kwam terug met een glas water dat ze aan Anja gaf. Het merkwaardige was dat deze het meteen gretig opdronk, alsof dat juist was wat ze nodig had.

38

Östen was nu bezig het korte leven van Natasha Filippovna in Stockholm in kaart te brengen. Kristina had hem dat gevraagd, omdat weten hoe iemand heet nog niet hetzelfde is als weten wie iemand is. Buitendien had ze een motief nodig. Waarom had Jean Olivelöf haar willen vermoorden? Had zij iets in zich wat hem bedreigde? Of hem angst aanjoeg? Of hem waanzinnig maakte?

Dat betekende niet dat het slachtoffer op enige wijze zou worden belast, maar zoals Maria zei: 'De ene hand wast altijd de andere.' In dit geval had de ene hand de andere doodgeslagen. Je kon veel over de moordenaar leren door zijn slachtoffer te leren kennen.

Ook als Kristina zich niet voor het motief zou interesseren, dan nog zou de officier van justitie dat wel doen. En dus zocht Östen verder naar sporen van Natasha. Buren waren er niet. Jean Olivelöfs statige villa lag afgezonderd. De dichtstbijzijnde buren woonden drie kilometer verder, maar dat schrikte Östen niet af. Hij klopte aan en kreeg daar geen spijt van.

Het was een klein huisje van het soort dat in eerste

instantie was gebouwd als zomerhuisje. De huidige eigenaren hadden het omgebouwd tot hun permanente liefdesnestje.

Östen had niet eerder een zo verliefd stel ontmoet. De man, Karsten, hoefde maar te niezen, of zijn vrouw, Kirsten, kreeg al een orgasme. Ze waren beiden een jaar of vijfentwintig, vast en zeker kinderen van ouders uit de jaren veertig die geëxperimenteerd hadden met hun seksualiteit, met hun relaties en met hun erfgenamen. Het resultaat was hier te zien. Twee mensen die zich uit alle macht aan elkaar vastklampten als een pan aan zijn deksel. Bovendien leek het niets uit te maken wie de pan was en wie het deksel.

Maar het bleek ook dat verre buren meer van elkaar weten dan nabije buren. Het jonge stel was helemaal niet verbaasd dat het zo slecht was afgelopen. Ze hadden 'de Russische' vaak alleen in de richting van het water zien lopen. Soms had ze een kind bij zich. In de regel liep ze langs het kerkhof en bleef even staan voor het graf van haar zus.

'Weten jullie dat haar zus daarginds ligt?' vroeg Kirsten.

'Dat weten we.'

'Het is een vreselijke geschiedenis', zei Karsten, en Kirsten keek hem aan met bewondering in haar ogen, alsof hij zojuist een Nobellezing had afgesloten.

Kirsten had een paar keer met haar gesproken. Haar Zweeds was niet zo goed, maar haar Engels perfect. Op een dag had ze een grote blauwe plek onder haar oog. Toen ze zag dat Kirsten ernaar keek, zei ze dat je zoiets niet krijgt van een botsing met een deur.

Ja ja. Het leek erop dat haar man haar mishandelde.

Karsten verdween eventjes omdat hij iets op het vuur had staan. Kirsten werd meteen nerveus, dwaalde rond met haar ogen, trok haar rok omlaag, stopte met praten. Het was duidelijk dat een minuut zonder Karsten een ramp betekende.

'Hoelang kennen jullie elkaar?' vroeg Östen, om te voorkomen dat ze voor zijn ogen in elkaar zou storten.

Ze verstijfde alsof hij haar had bedreigd. 'Sinds de lagere school. We waren negen jaar oud. Ik vroeg of hij verkering wilde en dat wilde hij wel. Sinds dat moment zijn we samen.'

Hierna was Kirsten uitgeput. Ze moest achter Karsten aan. Wat deed hij al die tijd in de keuken?

'Wat voor soort mens was ze?'

Kirsten ging weer zitten, iets rustiger omdat ze Karsten boven zijn pannen hoorde zingen. 'Dat doet hij altijd. Hij zegt dat het eten dan lekkerder wordt.'

Östen lachte toeschietelijk.

'Tja... dat is niet zo makkelijk te zeggen. Ze was heel mooi... ik was bijna een beetje jaloers op haar... Misschien had ze wat te brede schouders, maar verder...'

'Ik bedoel eigenlijk niet fysiek. Ik bedoel psychisch. Was ze rustig? Dwars? Vrolijk? Verdrietig?'

'Ze verlangde terug naar haar land.'

'Zei ze dat?'

'Ja, dat zei ze. Ze zei dat ze meteen zou vertrekken als het kind er niet was geweest.'

'Hoezo?'

'Ze had het thuis niet zo breed.'

Toen kwam Karsten terug, liep op Kirsten af en kuste haar innig, alsof ze elkaar een maand niet hadden gezien.

Östen sloeg zijn ogen neer. Die verdomde liefde! Die verdomde Eva! Waarom liet ze niets van zich horen? Hij had weliswaar besloten het uit te maken, maar dat wist zij nog niet.

Maar hij kreeg geen tijd om zich in zelfmedelijden rond te wentelen. Kirsten had veel meer op haar lever. 'Maar ik geloof ook dat ze bang voor hem was. Hij heeft weliswaar stijl, maar zijn ogen zijn onaangenaam.'

Op dat moment gebeurde iets onverwachts, iets waar Östen niet precies zijn vinger op kon leggen. Karsten maakte een gebaar of hij door een vlieg werd gestoord, maar er was geen vlieg te bekennen. Of toch?

'Je kunt net zo goed alles vertellen.'

Kirsten keek hem aan en vertrok haar mond. Zou ze in huilen uitbarsten? 'Er is niets te vertellen.'

'Je hoeft niets te vertellen als je dat niet wilt', verzekerde Östen haar.

Ze maakte zich klein, daar waar ze zat, door zich voorover te buigen en haar armen om haar benen te leggen.

'Als jij het niet doet, dan doe ik het.' Karstens stem klonk nog steeds even vriendelijk, maar zijn lippen waren smaller geworden en zijn ogen kleiner.

'Ik ben vreemdgegaan... met hem.' Er was niets van haar over. 'Eén keer. Het gebeurde gewoon.'

'Ik hoef dit niet te weten.' Östen geneerde zich.

'Ja, maar... misschien moet je dat wel. Het was nadat ze verdwenen was. Zo zei hij het. Dat ze er gewoon vandoor was gegaan. Ik was er alleen heen gegaan om te zeggen dat het uit was, dat het niet nog eens zou gebeuren. Hij deed niet open, want hij was in de kelder. En ik liep naar beneden en zag dat hij de vloer aan het dweilen was... Het zag er vreselijk raar uit en ik moest lachen, maar hij werd verschrikkelijk kwaad en schreeuwde dat ik dat nooit meer moest doen...'

'Zag je iets op de vloer?'

'Ja... ik dacht bloed te zien.'

'Je vermoedde toen niets?'

'Wat had ik moeten vermoeden? Ik dacht dat het eruitzag als bloed, maar ik wist het niet zeker.'

'Op de vloer in de kelder?'

'Ja.'

Östen maakte aantekeningen. Dat moest te onderzoeken zijn. Je kunt dweilen en dweilen, maar er blijft altijd iets achter.

'Wanneer was dat? Kun je je dat herinneren?'

'Het was vorig jaar, tegen het einde van het jaar.'

'Dat weet je zeker?'

'Ja.'

'Want?'

'Want het water vroor die nacht dicht. Toen we de volgende dag wakker werden, was de boot van de buren vastgevroren.'

'Heb je nog iets gemerkt?'

'Ja. Hij dreigde haar eruit te gooien, dat vertelde ze me. En ze had geen geld, ze had niets.'

Plotseling brak er iets en begon Kirsten te snikken, terwijl ze Karsten om vergeving vroeg.

Hij omhelsde haar. 'Het is vergeven en vergeten, lieverd.'

O, wat hield hij van zijn moralistische overwicht. Bijna evenveel als hij van haar hield.

Östen begreep dat het noch vergeven, noch vergeten

was. Dat leek alleen maar zo. Wat als Eva een ander had? Waarom zou ze trouwens niet? De gedachte deed hem zo veel pijn dat hij bijna moest overgeven. De volgende keer dat hij haar zag zou hij het vragen. Als hij haar ooit nog weer zag.

Precies op dat moment riepen de pannen weer. Een wekkertje in de keuken rinkelde energiek alsof niet het eten aanbrandde, maar het wekkertje zelf. Karsten rende weg.

Östen stond ook op om te gaan. Maar toen bedacht hij zich. 'Waarom heb je het gedaan?' Zijn stem klonk donker en roestig.

Kirsten had kunnen doen alsof ze de vraag niet had begrepen. Dat was gemakkelijk geweest. Het probleem was dat ze zelf niet begreep waarom ze het had gedaan. Ze had zich niet bijzonder aangetrokken gevoeld tot Jean Olivelöf, ook al was ze wel een beetje nieuwsgierig naar hem. Hij joeg haar eerder angst aan dan dat hij haar verleidde. En toch had ze het gedaan. Ze rende niet weg voor de boze wolf, maar sloot zich in zijn armen.

'Ik weet het niet.'

Ze kon het niet langer opbrengen zichzelf nog verwijten te maken.

'Je houdt toch van Karsten, dat is van verre te zien.'

Ze had kunnen zeggen dat hij zich er niet mee moest bemoeien, dat haar ontrouw geen zaak voor de politie was. Maar ze zei niets wat daarop leek.

'Ik geloof dat ik het zat was zo veel van hem te houden. Ik was uitgeput, verstijfd van schrik, bang. Misschien wilde ik mijn grenzen uitproberen. Ik weet het niet. Het klinkt allemaal zo nep.'

Ze was rustig nu, bijna tevreden. De zondaar was interessanter dan de zonde.

'Kun je begrijpen wat ik bedoel? Heb je ooit zo veel van een vrouw gehouden dat je haar wilde doden? Uit angst om haar kwijt te raken? Ik geloof dat ik wilde zien hoe ik zou kunnen leven als ik Karsten ooit zou verliezen. Hoe het zou zijn met een andere man, als ik niet langer de man kon hebben van wie ik zo veel hield.'

'En hoe was het?' Hij was gespannen en daardoor kwam zijn dialect duidelijker naar voren.

'Dat was juist zo merkwaardig. Het was niets... het was als het doorslikken van een theelepel hoestdrank... het deed me niets, liet me koud. Het was beangstigend om dat te beseffen... Ik had gedacht dat daar de grenzen van de liefde liepen, dat als je met een ander naar bed ging, het op de een of andere manier een bevrijding zou zijn... maar het was het omgekeerde... ik hield nog meer van Karsten.'

Östen schudde zijn hoofd. 'Ik geloof dat ik het begrijp. Ik hoop alleen dat Karsten het begrijpt.'

Ze liet een snelle glimlach zien die hem deed denken aan een rood stoplicht dat oranje wordt en daarna groen. Ze wisselde van verdriet naar ongerustheid naar vertrouwen.

Karsten kwam terug. Het eten was klaar. Östen kon mee-eten als hij wilde. Hij wilde wel, maar koos ervoor terug te rijden naar het politiebureau. Op het nippertje moest hij nog ergens aan denken.

'Had ze geen vriendinnen? Noemde ze wel eens iemand?'

Kirsten wist het niet, maar Karsten daarentegen wel.

'Ja... ze had inderdaad een vriendin.'

Kirsten zag haar kans schoon om verloren terrein terug te winnen. 'Hoe weet je dat?'

'Ik kwam haar toevallig een keer in de bus tegen... op weg naar de stad... Ze zei dat ze bij een vriendin in Täby langs zou gaan. Ze had een dikke wang en die vriendin was tandarts.'

'Ze noemde geen naam?'

Karsten dacht na. 'Jawel... ze noemde een naam, maar ik weet niet of je er iets aan hebt.'

Hij leek plotseling minder bereid tot samenwerking. Niets opvallends, alleen een kleine stap achteruit. Verborg hij iets?

'Vanja. Een achternaam gaf ze niet.'

Östen gaf hem een schouderklopje. 'Er zijn vast niet veel tandartsen in Täby die Vanja heten. Dank je wel.'

Hij liep snel naar zijn auto, en des te sneller omdat hij wist dat Karsten nu een werkelijk verhoor voor zijn kiezen zou krijgen, hij had 'some explaining to do', zoals ze dat in de film zeggen.

39

Anders Berlin, de rechter-commissaris van de rechtbank, leunde achterover en liet zijn blik rondgaan als een rusteloze vlieg die nergens een plekje vindt om te landen.

'Ik geloof niet dat het noodzakelijk is.'

Mitsuko had tevoren geweten dat hij dat zou zeggen.

Iedereen in het rechtscollege wist dat Anders Berlin er een groot tegenstander van was dat de politie zich meer en meer vrijheden veroorloofde. Verborgen microfoontjes en het afluisteren van telefoons had hij altijd verworpen.

'Maar beste Anders! Hoe krijgen we hem anders te pakken?'

'Je hebt om zijn opsporing verzocht, daar zul je het mee moeten doen.'

'En als dat niet voldoende is?'

Hij wist dat de mogelijkheid om alle burgers te controleren de taak van de politie een stuk lichter zou maken, maar het was niet zijn taak om het de politie gemakkelijk te maken, maar om ervoor te zorgen dat de wet werd geëerbiedigd. De wet stond weliswaar toe dat de politie iemands telefoon afluisterde als betrokkene werd verdacht van een misdrijf waar meer dan een jaar voor stond, maar Anders Berlin beschouwde die wet als paradoxaal. Hij impliceerde dat de verdachte reeds was veroordeeld voor het misdrijf waarvan hij werd verdacht.

Het was daarom een slechte wet, die zichzelf in de vingers sneed. Anders Berlin was weliswaar niet de wetgever, maar de wetgever had hem wel de mogelijkheid gegeven de wet naar eigen inzicht te interpreteren. Hij was niet van plan van zijn interpretatie af te stappen.

'Mitsuko, moet je horen. Er is altijd een kans dat een misdadiger zich niet laat pakken. Dat is een deel van de prijs die we moeten betalen om niet in een politiestaat terecht te komen. Dat is de ene kant. De andere kant is: wat gebeurt er met het personeel dat dit soort werk uitvoert? Hoe voelt die ene politieman zich die over een afluisterapparaat gebogen zit? Almachtig? Hooghartig?

Of een regelrechte schurk? Een Peeping Tom, alhoewel we het in dit geval waarschijnlijk over een Listening Tom zouden moeten hebben. Het is demoraliserend, corrumperend. Ik weet waar ik het over heb. Toen ik elf, twaalf jaar oud was, zag ik per ongeluk hoe mijn zusje met haar vriendje lag te vrijen. Buiten in de bosjes. Ik zal nooit vergeten hoe geschokt ik was. Hoe ik me schaamde en hoe schuldig ik me voelde. Ik had nog nooit iets gezien wat niet voor mijn ogen was bedoeld. Het duurde maanden voordat ik mijn zus weer in de ogen kon kijken, en haar hele leven lang kon ik niet naar haar kijken zonder dat ik terugdacht aan hoe haar benen om de rug van haar vriendje waren geslingerd. Zelfs toen ze stierf en ik in de kerk voor haar kist stond, moest ik eraan denken. Je weet niet hoe vreselijk het is om geheimen van anderen te bezitten. Als het de bedoeling was dat we dat konden, dan hadden we God niet uitgevonden. God is het gewelf van onze geheimen en niemand, absoluut niemand, mag dat betreden.'

Mitsuko zat tegenover hem en dankte 'haar' god dat ze de kleur van haar vader had geërfd, anders had ze een gezicht als een rode draak gehad.

'Dat heeft niets met het recht te maken. Dat is metafysica', zei ze droog, in bijzonder omdat het beeld van het liefdesspel van zijn zus zich in haar had voortgeplant en haar deed verlangen naar de man die de vader van haar dochter was, maar die tevens de echtgenoot was van een andere vrouw. Zij had haar geheim. Ze had zijn naam nooit onthuld. Ze wilde hem geen schade toebrengen, ze wilde zijn gezin niet kapotmaken. Als het erop aankwam, was het geen misdaad dat hij niet zoveel van haar hield dat hij alles voor haar zou achterlaten.

Daarom begroef ze zijn naam diep in haar hoofd en legde ze lagen met andere namen erbovenop, andere gebeurtenissen, jaartallen, wetten en artikelen. Ze was van plan om haar dochter als ze achttien werd de waarheid te vertellen. Dat was ver weg. Tot dan toe zou ze niets zeggen en ze wilde ook niet dat iemand anders iets zou weten.

Ze begreep dus heel goed dat het belangrijk was geheimen voor jezelf te kunnen houden. Maar er was een verschil. Zij had geen misdaad begaan. Hoewel, op zich had ze dat wel. Als ze moslim was, zou men haar stenigen, haar van een afstandje doden om de eigen handen niet met haar onreine bloed te bezoedelen.

'Dat is het probleem met onze rechtstraditie', vervolgde Anders Berlin. 'We hebben niet begrepen dat er zonder metafysica geen moraal is, en zonder moraal wordt de wet een onbegrijpelijke abstractie, een steriel machtsmiddel dat zichzelf vroeg of laat in de staart bijt. Hoe minder moraal, des te meer wetten en hoe meer wetten, des te meer misdrijven. "Wijze mensen hebben weinig wetten nodig", zei Theophrastos al, de Griek die beter dan ieder ander de zwakheid van de mens inzag. Heb je hem gelezen?'

Dat had Mitsuko niet. Niemand die ze kende had dat, behalve dan Anders Berlin.

'Dat zegt al genoeg. Wordt het barbarisme legitiem, dan wordt de barmhartigheid een misdrijf.' Hij klonk verbitterd.

Mitsuko wierp een steelse blik op haar horloge. Anders Berlin zag het.

'De tijd is de grootste barbaar van allemaal. Hij dwingt ons dingen te doen die we niet willen. Ga maar. Maar geen afluisterpraktijken. Zijn we het daarover eens?'

Wat moest ze zeggen? Ze bedankte voor het gesprek en haastte zich naar haar kamer om naar het kinderdagverblijf te bellen. Ze zou ook vandaag te laat komen.

Rechter-commissaris Berlin zou niet te laat komen. Hij had niemand die op hem wachtte. Zijn vrouw had hem vijf jaar geleden verlaten, toen ze beiden vijftig waren geworden. Eerst was er groot feest. Ze had manchetknopen voor hem gekocht van witgoud, met zijn naam erin gegraveerd. Hij had voor haar een ballonvaart over Stockholm gekocht.

Dat had hij beter niet kunnen doen. Want daar was het, zwevend boven pleinen en waterwegen, dat ze inzag dat het leven met haar man niet langer een echt leven was. Ze zagen elkaar 's avonds laat, keken een poosje tv en daarna slapie-slapie. Ze hadden al jaren geen serieus gesprek meer met elkaar gehad. Ze wist bijna niet meer met wie ze getrouwd was.

Toch had ze ooit van hem gehouden. Van zijn ernst, zijn bedachtzaamheid, zijn langzame temperament dat hem in zijn stemmingen liet vastlopen als de grote veerboten naar Finland in de scherenkust. Maar nu werkte het allemaal op haar zenuwen. Hij was zo voorspelbaar als de koekoek in zijn klok. Ze wist wat hij zou zeggen voordat hij het zei, wat hij zou doen voordat hij het deed.

Ze keek uit over de mooie stad. Er waren zoveel mogelijkheden, zoveel mensen. Alleen al op een ander trottoir lopen kon het begin zijn van een avontuur.

Toen de ballon landde, had ze haar besluit genomen. Ze

zou op een ander trottoir gaan lopen.

Voordat Anders Berlin kon reageren, stond ze met haar koffers te wachten op de taxi die haar naar een ander leven zou brengen. Hij begreep niet eens dat hij treurde. Hij had wat last van zijn maag, had wat moeite met slapen, maar hij weet het aan de stress. Rechter zijn is geen beroep als alle andere. Het plaatste hem naast het leven, maakte hem tot het soort toeschouwer dat altijd te laat komt. Het meeste was al gebeurd op het moment dat hij het gebeuren instapte.

Toen hij ten slotte begreep dat hij haar miste, was het te laat. Ze was gaan samenwonen met een gepensioneerde vastgoedmakelaar, een aardige knakker, zoals dat heet, met een bulderende lach en hersenen ter grootte van een melktand. Geen risico dat gedachten zijn hoofd zouden binnendringen, aangezien ze er toch nooit in zouden passen.

Inmiddels bevond Anders Berlin zich in het stadium dat hij zijn vrouw niet langer miste, maar hij had dat nog niet begrepen, niet in de laatste plaats omdat hij doodsbang was dat er helemaal niets in zijn hart zou achterblijven. Liever het missen en het verdriet dan de leegte. Want als het hart leeg is, ontdek je alle kleine ongemakjes als ingegroeide nagels en droge lippen.

Je wordt egocentrisch en egocentrische personen zijn nooit goede rechters. Anders Berlin wilde een goede rechter blijven, daarom moest hij mens onder de mensen blijven.

Hij draaide zijn stoel. Ver weg in het westen zag hij een zwakke reflex van de ondergaande zon. Hij dacht aan Mitsuko's boosheid en glimlachte in zichzelf als een man die weet waar hij mee bezig is.

Vroeg of laat zou hij oog in oog staan met de man wiens gesprekken hij weigerde af te luisteren. Het lot van deze man zou in zijn handen liggen. Hij wilde zijn voordeel niet groter maken dan dat. Hij was geen rechter over de zielen in de Onderwereld. Hij was een vermoeide, ouder wordende man die de laatste tijd prostaatproblemen had gekregen, en als deze man wilde hij de achtervolgde man ontmoeten – niet als een god.

De mens heeft zijn god nooit begrepen. Zijn wegen zijn ondoorgrondelijk. Dat is het probleem, en een minstens zo groot probleem is dat God ook de mensen niet lijkt te begrijpen. Die arme zielen kunnen hoogstens proberen elkaar te begrijpen.

De zon die hij eerder indirect geobserveerd had, was nu helemaal verdwenen. Hij deed de bureaulamp uit en pakte zijn whisky tevoorschijn, altijd Cutty Sark.

Hoeveel mensen doen op dit moment precies hetzelfde? Een heleboel. Misschien doet zelfs de achtervolgde moordenaar wel hetzelfde als ik. Ondanks alles verschillen we niet zoveel.

De gedachte troostte hem. Wie moordenaar wordt en wie slachtoffer, staat in een boek dat niemand heeft kunnen lezen. Hij moest denken aan de drie Moiren. De eerste draagt zorg voor het verleden, dat niet kan worden veranderd. De tweede draagt zorg voor het heden, dat ook niet kan worden veranderd. De derde draagt zorg voor de toekomst en ook die kan niet worden veranderd omdat niemand weet wat de toekomst brengt.

In mijn werk als rechter administreer ik de kwetsbaarheid van mensen.

Was het echt zo erg?

In de kamer en in zijn hart was het nog donkerder geworden.

40

Vanja Elisaveta Dzjoegasjvili was tandarts, drieëndertig jaar oud, van Georgische komaf en getrouwd geweest met een Russische overste, die in Afghanistan een heldendood was gestorven toen hij in het heetst van de strijd even naar de kant ging om zich te ontlasten, daarbij op een mijn liep en onverrichter zake ten hemel vloog. Hij liet zijn jonge weduwe echter een aardig pensioen na.

Het verlies van de oorlog in Afghanistan was het begin van de uiteindelijke val van het communisme in de Sovjet-Unie. Het is wonderlijk dat al deze grootmachten niet tegen het verlies van een oorlog kunnen zonder te gronde te gaan. Het begon met Groot-Brittannië, daarna kwam Frankrijk en ten slotte de Sovjet-Unie. Alleen de Verenigde Staten van Amerika overleefden de verliezen op Cuba en in Vietnam.

Waar ligt dat aan?

De theorie van de hiel van Achilles, dacht Vanja. Men denkt dat een reus alleen kan worden geveld door een kleine wond. Denk aan David en Goliath. De een groot en sterk als tien stieren, gepantserd met een schild dat niemand anders kan dragen en gewapend met een zwaard dat niemand anders kan optillen. De ander klein, dun, halfnaakt en zo goed als ongewapend, behalve dan zijn bespottelijke slinger. Toch was hij het die won en daarmee grondlegger was van de vorm van alle toekomstige guerrillaoorlogen. De Amerikanen zijn geen aanhangers van die theorie. Zij gaan er juist van uit dat een reus iedere kleine klap, hoeveel het er ook zijn, aankan.

Vanja had naar Amerika gewild, toen ze wegging uit een Rusland met groeiende werkloosheid, criminaliteit, prostitutie, infantiele politici en aangevoerd door een president wiens nuchtere dagen even gemakkelijk te tellen waren als schrikkeljaren.

Östen en Kristina waren door haar geïmponeerd. Ze sprak uitstekend Zweeds en het was duidelijk dat haar hoofd zijn eigen gang ging. Haar gezicht was levendig maar tegelijkertijd zwaar, alsof gevoelens en gedachten eroverheen stroomden als water over een steen.

Zij is het soort vrouw voor wie alle mannen gaan, dacht Kristina en ze had het fout. Östen zou niet voor haar gaan, ze joeg hem eerder angst aan, liet hem zich een klein kind voelen.

'Hoe bent u in Zweden terechtgekomen?' vroeg Kristina.

'Ik ontmoette uiteraard een man.'

'Een Zweed?'

'Ja.'

'U lijkt er liever niet over te willen praten?'

'Er is niets te vertellen. Het ging uit, drie weken nadat we in Zweden waren aangekomen. Hij bleek in een of ander gat driehonderd kilometer van Stockholm te wonen, waar hij een grote boerderij had. Toen ik daar aankwam, realiseerde ik me dat ik het er niet zou uithouden.

Ik ben geen boerin. Bovendien gaf hij er in de tweede week al blijk van dat hij mij met zijn varkens verwarde.'

Hoe is dat nou mogelijk? vroeg Kristina zich af. Op haar kwam Vanja Dzjoegasjvili eerder over als een Circe die mannen in varkens veranderde. Het dikke, zwarte haar was kortgeknipt, wat haar lange hals accentueerde, evenals haar hoge jukbeenderen. Haar oogopslag was speels, alsof ze verwachtte dat haar gesprekspartner met een grap zou komen die ze niet wilde missen. Een verleidster met andere woorden, die op Östen echter een totaal andere indruk maakte. Een manipulerend typetje, dacht hij, zo eentje die de mannen zich belangrijk laat voelen ondanks dat ze haar eigenlijk koud laten. Zijn Eva kon daar ook wel wat van. Als ze tegen hem zei dat niemand met haar had gevreeën zoals hij, geloofde hij haar, hoewel hij diep vanbinnen wist dat ze anderen voor hem hetzelfde had gezegd en alle anderen na hem ook hetzelfde zou zeggen.

Kristina riep hem tot de orde door hem te vragen aantekeningen te maken.

'En toen? Wat gebeurde er toen?' vroeg ze.

Vanja schudde haar hoofd. 'Ik bleef hier achter. Maar ik had geluk. In Moskou had ik me gespecialiseerd in patiënten met angst voor de tandarts, wat in hun geval ook heel begrijpelijk was. Ik ontdekte dat dat in Zweden onontgonnen terrein was. Men ging ervan uit dat alle patiënten rustig en gewillig waren. Terwijl het omgekeerde het geval is. Met wijdopen mond in een stoel zitten is niet iets waarop je zit te wachten. En dus nam ik een jaar lang Zweedse lessen en kreeg daarna mijn papieren als tandarts, alhoewel ik eigenlijk voornamelijk als psychotherapeut heb gewerkt.'

'Was Natasha Filippovna ook bang voor de tandarts?'

'En of ze dat was. Toen ze voor het eerst bij me kwam, stond ze te trillen op haar benen.'

'Kwam ze daarom ook naar u toe?'

'Waarschijnlijk. Maar ook omdat ze een landgenote wilde zien. Ze voelde zich erg eenzaam. Weet u, er is iets waar je geen rekening mee houdt wanneer je je land verlaat.'

'Wat dan?'

'Je weet niet hoe erg je je taal zult missen. "Mijn hele mond doet zeer!" zei ze vaak tegen me. "Het is zo vermoeiend de hele tijd een andere taal te spreken, dat ik er 's nachts van droom dat ik verdrink in een zee die Åäö heet." Dat zei ze tegen me. Net als alle Russen was ze een beetje melodramatisch.'

'U hebt uw landgenoten kennelijk niet erg hoog zitten.'

Vanja moest hartelijk lachen. 'Ze zijn mijn landgenoten niet. Ik kom uit Georgië. Ik had gedacht dat u dat wel uit mijn achternaam zou hebben afgeleid.'

De waarheid was dat de naam Dzjoegasjvili een klein belletje deed rinkelen in het achterhoofd van Kristina, maar ze dacht er niet verder over na. Dat deed Östen wel.

'Ik weet het!'

'Wat?' Kristina was een beetje geïrriteerd omdat ze gemerkt had dat hij er niet helemaal bij was.

'Zo heette Stalin ook. Josef Dzjoegasjvili.'

Vanja gaf hem een kort applaus. 'Bravo. Hij was een neef van mijn overgrootmoeder, al heeft ze hem nooit gezien, wat haar vermoedelijk het leven heeft gered.'

Een stukje geschiedenis stond plotseling voor hen in de woonkamer, negenhoog op Näsbydalsvägen 2. Ze stonden even met hun mond vol tanden. Kristina herstelde zich het eerst.

'Dus... wat kunt u over Natasha vertellen?'

Vanja Dzjoegasjvili deed alsof ze niet had gemerkt dat ze geschokt waren.

'Ze was neerslachtig... à la Russe... veel tranen, veel grote woorden... De ene dag wilde ze zichzelf van het leven beroven, een dag later wilde ze hem van het leven beroven... "een kwelgeest" noemde ze hem.'

'Hebt u hem ooit ontmoet?'

'Ja, één keer, heel kort. Hij had haar hierheen gereden. Hij is een mooie man.'

'Gelooft u dat hij haar kan hebben vermoord?'

'Absoluut. Iedereen zou Natasha kunnen hebben vermoord.'

'Is het niet wat merkwaardig om dat zo te zeggen?'

'Helemaal niet. Ze was als een hond die rondloopt met ontblote nek. Uiteindelijk is er altijd iemand die een slag toedient. Ze was weerloos, kinderlijk, totaal onbewust van haar eigen schoonheid. Dat soort mensen bestaan, en vroeg of laat lopen ze hun beul tegen het lijf.'

'Maar hebt u ooit een meer concrete aanleiding gehad om te denken dat hij haar zou vermoorden?'

'Jawel. Ze vertelde over hun seksspelletjes. Ik ben eerder verbaasd dat het niet eerder is gebeurd. Hij wilde geprovoceerd worden, hij raakte opgewonden wanneer de vrouw hem versmaadde. Misschien dat ze hem op een dag te lang versmaadde.'

Dat was mogelijk. Kristina kon zich de scène voorstellen. Die mogelijkheid was nog niet in haar opgekomen.

'Het kan zijn dat we u moeten oproepen voor een

officieel verhoor. Bent u bereid te herhalen wat u zojuist aan mij hebt verteld?'

Vanja Dzjoegasjvili glimlachte. 'Ik ben altijd bereid alles te herhalen, behalve mijn fouten.'

Vreemd genoeg keek ze naar Östen terwijl ze dat zei. Hij ontweek haar blik.

41

Je kunt een blik ontwijken, maar kun je je lot ook ontwijken?

Alexandra Filippovna stapte haar woning aan de Anton Bergalisstraat aan de noordelijke rand van Tallinn binnen. Ze deed de deur zorgvuldig achter zich op slot en haalde diep adem. Sinds Maria en de tolk haar op het vliegtuig hadden gezet, had ze naar dit ogenblik verlangd.

Ze wilde alleen zijn met zichzelf, in alle rust aan haar dochters denken. Ze wist nog niet dat ze een besluit had genomen. Pas toen ze de keuken in ging en de gaskraan opendraaide, wist ze het.

Het was haar gelukt zichzelf te verrassen. Ze ging met haar jas aan op de bank zitten. Ze wist niet hoeveel tijd ze had om aan haar eigen dood te wennen.

Waarom doe ik dit?

Ze kon niet beweren dat de pijn ondraaglijk was, ze kon niet beweren dat ze zich geen leven zonder haar dochters kon indenken. Ze had hen lang voor ze vermoord werden al verloren.

Heb ik het recht om dit te doen? Misschien niet, maar wie kan het me verbieden?

God niet, want ze geloofde niet in een god. De mensen ook niet, hen kon het überhaupt niet schelen of ze zich wel of niet van kant zou maken. Alleen zij kon zichzelf het leven schenken of zich ervan beroven. Wat een gruwelijke gedachte! Wat een verschrikkelijke vrijheid!

Als ik dit doe, wat onderscheidt mij dan van de moordenaars van mijn dochters? Als ik de vrijheid heb mezelf te doden, dan hadden zij dezelfde vrijheid om mijn meisjes te doden. En als ik zielig ben, dan waren zij ook zielig.

Toch vond ze niet datgene waar ze in haar hart naar op zoek was. Ze kon niet vergeven. Misschien moest ze zich daarom wel van het leven beroven. Want hoe moet je leven, als je niet kunt vergeven?

Aan de andere kant, hoe moet je leven wanneer je alles kunt vergeven? Ze was het labyrint in gelopen en kon de weg terug niet meer vinden. Ergens in het donker wachtte de grote, mensenetende stier haar op. Was ze bang? Ja, ze was bang, maar haar angst deed haar niet wegrennen, maar verlamde haar juist, deed haar stilstaan.

Het grote besluit dat ze, zonder het te weten, had genomen, had alle andere kleine besluiten onmogelijk gemaakt. Ze kon zich er niet toe zetten op te staan, een raam te openen, het gas af te sluiten. Ze kon zich er niet eens toe zetten haar ogen dicht te doen.

Men vond haar drie dagen later. Haar ogen waren wijdopen. Er was niemand om haar te betreuren, niemand om haar te begraven, niemand om haar te gedenken.

De enige woorden die aan haar dood werden gewijd, stonden in de fax die Thomas Roth ontving. 'Alexandra

Filippovna heeft zich van het leven beroofd. We stellen geen onderzoek in naar de gang van zaken.'

Kristina trok een conclusie. 'Dat betekent dat niemand schadevergoeding zal kunnen eisen van Olivelöf, áls we hem te pakken krijgen en áls hij wordt veroordeeld.'

'Nee. In zijn geval zal het een goedkope moord zijn.'

Thomas had eigenlijk schadevergoeding moeten eisen van God zelf. Waarom moest juist zijn zoon getroffen worden door zo'n ontzettende handicap?

Het nieuws kwam hard aan bij Maria. Ze kon zichzelf niets verwijten, en toch... wanneer iemand die we kennen zo plotseling sterft, voelen we allemaal een onduidelijke schuld, alsof we iets hadden kunnen doen, maar het erbij lieten. Dat was niet zo, en dat wist ze.

En toch!

En juist in dit 'toch' huist de vrijheid van de mens.

42

Een dag later werd Jean Olivelöf door twee Zwitserse Interpolagenten voor Café de Paris in Genève gearresteerd. Het restaurant is vermaard om zijn in de boter zwemmende entrecotes, wat zo goed als alles is wat daar wordt geserveerd.

De agenten hadden een voorbeeldige discretie aan de dag gelegd. Ze waren het restaurant niet binnengestormd, maar hadden buiten staan wachten, terwijl Jean Olivelöf in het gezelschap van Sandra Rossini van zijn entrecote genoot. Zij was fotomodel geweest en was inmiddels kinderarts en medewerkster van Artsen zonder Grenzen. In Zwitserland zijn alleen de koeien geen lid van een of andere internationale organisatie.

Zwitserland is niet alleen het centrum van de internationale banken, maar ook van de georganiseerde liefdadigheid, waarin miljarden dollars omgaan waarvan slechts een fractie bij de behoeftigen terechtkomt. Dat gezegd hebbende, valt niet te ontkennen dat veel mensen hun werk op vrijwillige basis doen, en een van hen was Sandra Rossini.

Op dit moment probeerde ze Jean Olivelöf te overreden gratis mee te werken aan een muziekgala ten gunste van de kinderen in Bosnië. Hij deed alsof hij geïnteresseerd luisterde, maar was in gedachte bij de twee mannen die voor het restaurant stonden en daar nu al meer dan een uur hadden gestaan.

Hij wist dat hij werd gezocht, via Anja natuurlijk, want al had ze niet tegen de politie gelogen – ze wist niet waar hij zich bevond –, ze had het nummer van zijn mobieltje; een uitvinding die meer dan andere uitvindingen de intieme kring rond mensen had veranderd, in die zin dat daar nu ook mensen in voorkomen die zich aan de andere kant van de aardbol bevinden.

Olivelöf had zijn schuilplaats niet onthuld. Niet omdat hij haar niet vertrouwde, maar hoe minder ze wist, des te gemakkelijker was het voor haar. Om consequent te liegen is een zekere dosis waarheid nodig.

Hij begreep dat hij zich niet tot in alle eeuwigheid kon schuilhouden, maar hij wilde het de politie niet te gemakkelijk maken. Hij had een Trotski-bril gekocht en zijn snor laten staan. Hij had zijn hotel verlaten en onder een andere naam ergens een klein appartementje gehuurd.

Maar de politie moest hem op de een of andere manier op het spoor zijn gekomen. Hij dacht hard na over verschillende manieren om er tussenuit te glippen. Door eerdere bezoeken aan Café de Paris wist hij dat de toiletten geen uitkomst boden. Ze hadden geen ramen, er was niet eens een ventilatiekoker, omdat de Zwitsers het principe lijken te huldigen dat ieder zijn eigen scheten als wierook beschouwt.

Ook zou het geen eenvoudige manoeuvre zijn om via de keuken weg te sluipen. En dus bleef hij zitten waar hij zat en hoopte maar dat de twee mannen buiten niet op hem stonden te wachten.

Dat deden ze wel. Hij koos ervoor geen stennis te trappen. Sandra Rossini begreep er niets van toen hij haar vriendelijk verzocht hem alleen te laten. Ze deed het met tegenzin, ze was hem leuk gaan vinden. Daarna liep hij langzaam naar de deur.

'U weet wat er aan de hand is nietwaar, meneer Olivelöf?' zei de ene agent met afgemeten stem.

'Oui.'

Er was niets dramatisch aan. De volgende ochtend zetten ze hem op het vliegtuig met een agent naast zich, die hem op vliegveld Arlanda overhandigde aan de luchthavenpolitie, die hem op haar beurt weer overhandigde aan de politie van Huddinge.

Hoe waren ze hem op het spoor gekomen?

Dat was heel simpel. Hij had de hotelrekening met zijn creditcard betaald. Het kantoor van de Handelsbank in Stockholm, waar hij een rekening had, was van tevoren op de hoogte gesteld. Zodra de rekening uit Zwitserland arriveerde, had men Thomas Roth gebeld, die meteen Interpol had geïnformeerd.

Ze hadden het spoor bij Hotel Intercontinental, waar hij had gelogeerd, opgepakt. Het was een duur, haast exclusief hotel, met toiletten die stil als zuchtende zwaluwen doorspoelden. Iedereen is van nature nieuwsgierig naar de rijken, en het slungelige meisje uit Somalië dat zijn kamer schoonmaakte al helemaal. Tot overmaat van ramp was hij zo onbeschaamd een verhouding met haar te beginnen, omdat hij in minstens één opzicht op president John F. Kennedy leek: hij kreeg hoofdpijn als hij niet iedere dag met iemand naar bed ging. Het verschil met de president was dat deze laatste naar eigen zeggen 'a new ass everyday' wilde hebben.

Die luxe kon Jean Olivelöf zich niet veroorloven. Hij moest het doen met Zelinda, wier schoot sterke overeenkomsten vertoonde met de brandende braamstruik uit de Bijbel. Ze streelde hem als een vlinder en iedere ochtend kwam ze naar zijn kamer en nam, licht als een zwaluw op een telefoondraad, plaats op zijn opbloeiende lid.

In veel hotels in Europa maken de schoonmakers ook 's middags na de siësta een ronde. Daar had Jean Olivelöf geen rekening mee gehouden. Hij was van plan geweest om 's ochtends vroeg uit het hotel te vertrekken, nog voordat Zelinda zou komen, maar ze had 's middags al gezien dat hij had gepakt. Daarom wachtte ze hem voor het hotel op en achtervolgde in haar gammele autootje zijn taxi. Ze kon dan wel een vluchtelinge zijn, ze kon op dit moment dan wel een niemand zijn, maar ze was de dochter van het opperhoofd van haar stam en het lag niet in haar bedoeling om zich door Olivelöf als roos op zijn jasje te laten wegslaan.

Daardoor wist Zelinda waar hij woonde en toen de politie haar een paar routinevraagjes stelde, maakte ze daar geen geheim van.

De vlucht van Jean Olivelöf was ten einde.

Nu zat hij in Huddinge in de cel in afwachting van zijn ontmoeting met hoofdinspecteur Kristina Vendel. Hij had Anja mogen bellen en hij had zelfs zijn advocaat gesproken. Hij had er spijt van dat hij niet zelf naar de politie was gestapt. In dat geval had het plaatje er heel anders uitgezien.

Hoe moest hij zich hier ooit uit redden?

Toen hij de verhoorkamer in werd gebracht, waar hoofdinspecteur Vendel hem van achter een vierkante tafel ontving, was dat dan ook het eerste wat ze hem vroeg.

'En, hoe denkt u zich hieruit te redden, meneer Olivelöf?'

Hij keek haar aan met zijn speciale mix van intensiteit en kilte. Ze herkende die blik.

'Ik ben helemaal niet van plan me ergens uit te redden. Ik kan u feliciteren, u hebt de juiste persoon gearresteerd. De schuld van Natasha Filippovna's dood ligt bij mij, ik moet echter een kleine aanvulling doen. Het was geen moord, het was een ongeluk.'

Kristina boog haar hoofd om haar opluchting te verbergen, maar hij interpreteerde het als een teken van ongeloof. Niet alleen de taal, maar ook gebaren kunnen dubbelzinnig zijn en we mogen wel dankbaar zijn dat Wittgenstein dat nooit heeft ontdekt, anders hadden we ons nog een diepzinnige theorie op de hals gehaald, om nog maar te zwijgen van alle proefschriften die erop zouden volgen.

Waarom moest ze juist nu aan Wittgenstein denken? Waarschijnlijk omdat ze niet wilde denken aan de man die op dit moment tegenover haar zat. Was hij net zo kil als hij eruitzag, of brandde zijn vuurtje als een onzichtbaar gas?

Ze zou de tijd krijgen om erachter te komen.

'Wat is er gebeurd?' Haar stem klonk rustig.

'Ik geloof niet dat het me lukt meer te zeggen voordat ik een sigaret heb gehad. Ik heb het belangrijkste nu toch al gezegd.'

Hij was moe. Hij wilde niet terug naar zijn cel. Hij vroeg om een sigaret. Helaas bleek geen van de aanwezigen te roken. Kristina stuurde Östen weg om een pakje te halen.

'Een speciaal merk?'

'Gauloise, graag.'

Östen moest kort lachen. 'En u denkt dat dat hier te krijgen is?'

'Neem dan wat er is.'

Kristina wist dat hij verder niets zou zeggen voordat hij zijn sigaret had gekregen, daarom probeerde ze de tijd te doden met koetjes en kalfjes.

'Wij hebben elkaar eerder gezien. Of liever, ik heb u eerder gezien en naar u geluisterd. In de kerk van Ekerö.'

Hij keek haar geamuseerd aan. 'Aimez-vous Brahms, Madame la commissaire?'

Hij dacht vast dat ze geen Frans verstond. 'Het was geen Brahms. Het was Mendelssohn.'

'Ah, de beste Felix. Een gelukkige man. Fijne, lichte melodieën voor lachende engelen. Immuun voor het donker. Maar hij was de favoriet van Ludwig Wittgenstein. Hebt u hem gelezen? Ik wel, en er zijn slechts twee zinnen van Wittgenstein die ik heb begrepen. De ene is dat men moet zwijgen over datgene waarover men niet kan praten. Die zie ik als een grote belediging van de mensheid. Als de mensen alleen zouden praten over datgene waarover men kán praten, dan zouden we allemaal sterven door verveling. We zouden geen kunst hebben, noch religie en niet eens een ziel. Bent u het met me eens?'

'Wat is de andere zin?'

'O ja... die is heel amusant. Hij zegt dat wie zijn tijd alleen maar vooruit is, erdoor zal worden ingehaald.' Hij maakte een grimas naar zichzelf en voegde toe: 'Net als ik.'

Koketteerde hij of was hij oprecht? Kristina wilde hem troosten. 'Die avond was u in ieder geval erg goed.'

'Ik was helemaal niet goed. Ik zat er die avond verschillende keren naast, maar dat had zo zijn redenen.'

'Daar kan ik me iets bij voorstellen.'

'Ja? Was het te zien? Ik was toen erg verliefd op Anja en hoe verliefder ik werd, hoe slechter ik ging spelen.'

'Het tegendeel klinkt aannemelijker.'

'Vindt u? U gelooft dat men vanuit zijn gevoelens creëert, nietwaar? Dat is niet zo. Gevoelens zorgen ervoor dat men op de muziek rijdt, in plaats van erdoor bereden te worden.'

'Vreemd genoeg gaat hetzelfde op voor de gerechtigheid.'

Dat verraste hem.

Het was langgeleden dat iets of iemand dat had gedaan. Was dat omdat de anderen zo voorspelbaar waren geworden? Of was het omdat hij het vermogen om zich te laten overrompelen had verloren?

Eerder in zijn leven had hij zich meermaals laten overrompelen. Zijn schoolverliefdheid had zijn ziel geramd als een ijsbreker. Maar dat was de laatste keer geweest. Zijn verliefdheden werden steeds succesvoller en steeds korter. Zijn spel droeg geen sporen van de goddelijke verbazing. Hij was een gewone man geworden en gewone mannen laten zich niet gemakkelijk verrassen.

Hij schudde als een natte hond deze gedachten van zich af en keek op. Wat zag hij?

Een jonge vrouw met misschien een licht overgewicht, maar nog wel met lijnen zo duidelijk als een landingsbaan. Hij zou in de doodlopende steegjes van haar lichaam de weg weten te vinden. Hij wist al welke tactiek hij zou gebruiken. Eerst een intensief vuren op het centrum, gevolgd door snelle uitvallen naar de flanken. Bij zo'n vrouw kun je niet in een hinderlaag blijven liggen.

Ze wilde een gevecht en ze zou het krijgen. Jammer genoeg niet het soort gevecht waarin hij meester was. Nu was hij gedwongen om als gast in haar stadion te spelen.

'Gerechtigheid is een illusie, net als al het andere. Ze heeft alleen de neiging om bloediger te zijn dan de meeste illusies.'

Dat had haar vader ook kunnen zeggen. Wat een eigenaardig idee! Was de dood van Natasha Filippovna een illusie? Was de zelfmoord van Alexandra Filippovna een illusie? Was het gekwelde zwijgen van Aljosa een illusie?

Voor haar zat de man die het allemaal op zijn geweten had. Hij was zo levend als maar kon, gisteren genoot hij nog van een entrecote in Café de Paris in Genève en bedacht hij hoe hij nog een vrouw kon verleiden. Dat was onrechtvaardig! Geen retoriek ter wereld en geen sofisme kon daar iets aan veranderen.

Ze vroeg zich af welke houding ze tegenover hem zou aannemen. Was hij zelf slachtoffer van de omstandigheden? Had hij iets anders kunnen doen? Zou je zijn karakter ook tot de omstandigheden kunnen rekenen?

Het was ontegenzeggelijk gemakkelijker om onrechtvaardigheid vast te stellen dan om rechtvaardigheid te definiëren, maar dat maakte dat laatste nog niet tot een illusie.

Op dat moment kwam Östen terug.

'Eindelijk', zei Olivelöf.

'Het spijt me dat het zo lang duurde, maar bijna iedereen hier is gestopt. Gelukkig kwam ik die Griek tegen die hier schoonmaakt. Tegenwoordig roken alleen allochtonen nog. Gevangenen die roken brengen meer tijd buiten in de openlucht door dan in de cel, omdat ze daar niet mogen roken.'

'Ik hoop dat je hem een behoorlijke vergoeding hebt gegeven', zei Kristina.

'Hij wilde er niets voor hebben. Hij vond het maar bekrompen dat ik ernaar vroeg.'

'Dat is het ook', kwam Olivelöf ertussen. 'De bekrompenheid is het grootste probleem in Zweden. We zijn een land geworden van sjacheraars, fraudeurtjes, bijstandsartiesten in alle lagen van de bevolking.'

Maria, die tot dan toe haar mond had gehouden, kon

het niet laten in te grijpen. 'We mogen blij zijn met een paar moordenaars die ons redden van de ontaarding.'

Haar opmerking deed Kristina inzien dat het tijd was terug te komen op het eigenlijke onderwerp. Ze wendde zich tot Olivelöf. 'Wilt u ons vertellen hoe het eraan toe ging?'

Het was weliswaar een vraag, maar Olivelöf had niet de illusie dat hij de keuze had om de vraag al dan niet te beantwoorden. Bovendien zou hij er niets mee winnen het proces te vertragen. En dus nam hij een lange haal.

43

'Mijn ervaring is dat alle liefdesgeschiedenissen met een leugen beginnen. Namelijk dat men op een persoon verliefd wordt. Dat klopt niet. We vallen voor een detail, dat voor ons dezelfde functie heeft als het madeleinekoekje voor Proust. Meestal is het een onbeduidend detail, totdat het noodlottig wordt. Het kan een beweging zijn, een gebaar, een bepaalde lichaamshouding in een bepaalde situatie. Er is bijvoorbeeld niets gracieuzer dan wanneer Anja zich uitrekt om de suiker van de plank te pakken. Vreemd genoeg alleen wanneer ze de suiker pakt. Wanneer ze bijvoorbeeld het zout pakt, dan is het heel anders. Maar goed, dit terzijde.

De herfst van '95 was voor mij een tijd van rouw. Ik was mijn plezier in de muziek aan het verliezen, mijn manager regelde geen engagementen meer voor me, mijn geld raakte op en ik hield van niemand, zelfs niet van mezelf.

Ik nam de baan in Tallinn aan om het geld, maar ook om er even tussenuit te kunnen knijpen. Als ik dan toch een middelmatig musicus was, dan kon ik me daar net zo goed naar gedragen ook. Achtergrondmuziek verzorgen voor een stelletje hufters die nog maar kort geleden de geneugten van het grote geld hebben ontdekt en die rondlopen in krijtstreepkostuums die bij hen eerder aan gevangenisuniformen doen denken.

In het gezelschap van zo'n type zag ik Natasha voor het eerst, en hij behandelde haar alsof zij zijn bezit was, wat – ik zou dat snel genoeg ervaren – ook het geval bleek.

Ze was mooi op de dramatische manier waarop sommige vrouwen dat kunnen zijn, een soort tragische schoonheid die eerder ongeluk dan geluk voorspelt. Een schoonheid die haar aan de ene kant in het middelpunt van ieders belangstelling zette, maar die haar tegelijk ook isoleerde, haar veranderde in een object dat door iedereen werd bekeken. Ik zag hoe ze van een levende persoon veranderde in een evenbeeld van zichzelf, de blikken van de anderen waren een spiegel waarin ze alleen zichzelf kon ontmoeten.

Eigenlijk was dat waardoor ik voor haar viel. Ik haalde het in mijn hoofd dat ik die spiegel kapot wilde maken, en niet alleen de spiegel, maar ook het beeld erin. Het komt erop neer dat ik het idee kreeg dat ik van deze ongelofelijk schone slaapwandelaarster een echt mens kon maken.

Ik zag hoe de obers op haar af renden zodra ze zich liet zien, hoe die hufter haar bij haar arm greep alsof hij bang was dat ze vleugels zou krijgen en weg zou vliegen, en het eerste wat hij deed was een fles champagne bestellen, omdat hij wist dat ze in ieder geval niet weg zou vliegen voordat die leeg was.

Want Natasha dronk.

En nu we het daar toch over hebben, is er in dit gebouw misschien iets te drinken te krijgen?'

'U kunt koffie of thee krijgen', antwoordde Kristina.

'Al is onze koffie niet aan te bevelen', voegde Maria daaraan toe.

De stemming in de kamer was weemoedig. Olivelöfs bekentenis zou hen eigenlijk vrolijk moeten stemmen, maar dat was niet het geval. Het lukte hem in plaats daarvan hen zich min te laten voelen, laaghartig, niet in staat om zich tot zijn niveau te verheffen. Er waren twee dingen duidelijk. Hij was een moordenaar en hij verdiende beter.

'Ik neem graag een kop thee als dat kan.'

Maria liep de kamer uit om het te halen.

'Kunt u de bandrecorder een ogenblik uitzetten?'

Kristina boog zich naar de microfoon. 'Het verhoor met de heer Jean Olivelöf wordt tijdelijk onderbroken. Het is zestien uur drieëntwintig.' Daarna drukte ze op de pauzetoets.

'Dank u wel.' Hij stak een nieuwe sigaret op. Hij hoestte een beetje. 'Ik zou moeten stoppen met roken.'

Hij zat stil uit het raam te kijken. Het was een bewolkte middag met laaghangende, donkere wolken die zich langzaam voortbewogen, als een schoolklas vermoeide kinderen op excursie.

'Dit jaar slaan we de zomer vast over.'

Kristina zei niets. Ze dacht aan Natasha Filippovna.

Voor haar zou het in ieder geval nooit meer zomer worden. Maar dat wist Jean Olivelöf ook.

Wat is een moord toch een absurde daad. De man die tegenover haar zat, had een jonge vrouw van al haar ochtenden en middagen beroofd, van al haar avonden en nachten. Hoe komt iemand op het idee? Hoe kan iemand aan dat idee wennen? Wat onderscheidde zulke mensen van anderen? Of is het, zoals vaak wordt gezegd, zo dat iedereen in staat is tot welke gruweldaad dan ook, als de omstandigheden er maar naar zijn?

Als dat het geval is, wat betekent dat dan? In principe niets meer dan dat je bescheiden moet zijn, dat je je gelukkige gesternte mag danken voor het feit dat je niemand hebt vermoord. Ze had haar werk goed gedaan, ze had degene die een jonge vrouw van het leven had beroofd te pakken gekregen, maar het gaf haar geen blij gevoel – het voelde eerder beklemmend.

Maria kwam terug met een kop thee en een boterham met kaas, die ze voorzichtig voor Jean Olivelöf neerlegde. Hij keek haar glimlachend aan. 'Dat is aardig van u.' Hij dronk zijn thee op en at zijn boterham met kleine hapjes. Daarna veegde hij zijn mond met het servet af en vervolgde zijn verhaal.

'Ik zei dat Natasha dronk, en ze werd wild wanneer ze dat deed. Ze danste uitdagend, flirtte met de andere gasten en de obers, kuste haar hufter gepassioneerd terwijl ze naar een ander knipoogde. Ze speelde de hoofdrol in een drama dat ze zelf had geschreven. Alleen mij observeerde ze niet. Ik probeerde haar blik te vangen, maar die gleed iedere keer langs me heen. En toch wist ik dat ze me had opgemerkt. Hoe ik dat wist? Heel eenvoudig. Ze ontweek me te veel. Ze wilde dat het me op zou vallen.

Natuurlijk was zij niet de enige die dronk. Die hufter van haar deed het ook en op een avond kreeg hij duidelijk veel te veel binnen. Hij zeeg naast de tafel neer, er was opschudding, men rende van hot naar haar, terwijl Natasha apathisch voor zich uit zat te kijken alsof ze de Apocalyps verwachtte.

Toen rook ik mijn kans. Ik ging naar haar toe en ging zonder een woord naast haar zitten. Ik wachtte even af om te zien of ze zou reageren. Niets. Ik pakte haar hand tussen mijn handen, trok haar omhoog en leidde haar naar buiten, naar een balkon waar grote planten in potten stonden.

Niemand zag ons. Iedereen was betrokken bij de poging het leven van haar cavalier met alcoholvergiftiging te redden. Daar op het balkon kuste ik haar voor het eerst. Ze stonk naar wodka en zweet en parfum. En toch... eerst liet ze zich kussen, maar daarna kwam ze zelf op gang. Kort en goed! We bedreven de liefde – wat een uitdrukking overigens – verscholen achter potten en planten. Daarna gingen we zonder een woord uit elkaar.

Zowel zij als ik wist dat het niet de laatste keer zou zijn. En dat was ook niet zo. Ze veranderde haar leven. Ze werd net een tienermeisje. Vrolijk, verliefd, teder. We begonnen dagelijks af te spreken, zowel voor als na mijn optredens. Ook ik werd helemaal verliefd. Ik ontmoette haar moeder en we bezochten samen haar gehandicapte zoontje.

Ik had besloten er tussenuit te knijpen. Nu had ik een vrouw gevonden met wie ik dat zou kunnen doen. Ze had meer energie dan alle vrouwen die ik daarvoor had gekend samen. En ze was begaafd... met wat onderwijs zou ze van alles kunnen worden. Wilde ze niet met me meegaan naar Zweden?

Dat wilde ze wel. Het eerste jaar was fantastisch. We namen de kleine Aljosa in huis en ze gaf hem al die liefde die ze haar eigen kind niet had kunnen geven. Met haar en hem samen voelde mijn grote huis klein aan. Ik was gelukkig. Zij was gelukkig. In bed verrichtten we grootse daden. Het hielp me... helaas zijn mijn kunst en mijn seksualiteit tweeling.

Maar niemand kent eeuwigdurend geluk. Zegt men dat niet zo? Langzaamaan veranderde ze. Het begon met de wijn. Eerst deelden we een fles bij het eten, maar na verloop van tijd werd het meer en haar dorst werd iedere dag groter. Ze werd onredelijk, ruziede om kleinigheden, had genoeg van Aljosa.

Wat was er gebeurd?

Niets. Niets waar je je vinger op kon leggen. Ze miste haar land, ze miste haar taal. Het gemis holde haar hart uit. Ze deed pogingen om andere Russen en Esten in Zweden te ontmoeten. Ik had haar dat aangeraden. En daar ontmoette ze Ivan. Ik weet niet eens hoe hij verder heet. Ze hield het geheim. Maar ik begreep wat er aan de hand was. Ze trok zich terug. Als ik mijn armen om haar heen sloeg, klaagde ze dat ik koude handen had of naar tabak rook.

Ik was van streek. Ik zag hoe ze uit mijn leven gleed en kon niets doen. Ja, behalve één ding. En dat heb ik gedaan.'

Jean Olivelöf verborg zijn gezicht in zijn handen. Kristina vroeg hem of hij een pauze wilde nemen.

'Ja, graag. Ik zou graag morgen verder willen gaan, als dat niet ongepast is.'

Waarom zou dat ongepast zijn? Hij zat waar hij zat. Hij zou nergens heen gaan.

44

Het was al vijf uur toen het verhoor werd afgebroken. Kristina had nog een stapel administratieve taken liggen die moesten worden afgehandeld, maar ze vond dat dat kon wachten. In plaats daarvan nodigde ze haar medewerkers uit om deze dag met een drankje in eetcafé Udden te vieren.

In sommige voorsteedse cafés, waaronder Udden, heerst een aparte stemming. De eetzaal lijkt bijna een beetje in de steek te zijn gelaten, alsof hij zichzelf maar moet redden. Het ruikt er naar oude rook, oud zweet, oud vet, zonder dat het daardoor onbehaaglijk voelt, eerder het omgekeerde. De enige ober heeft geen haast en om vijf uur 's middags is er meestal niet veel volk. Een enkele gepensioneerde is misschien al present, een enkele werkloze allochtoon. Het gonst er niet van leven, het ademt rust uit.

Het is een café dat zich aanpast aan zijn klanten, niet een café waaraan de klanten zich moeten aanpassen. In de weekeinden leeft het op, doordeweeks raakt het in een winterslaap. Het is er en is er altijd geweest. Dat is het grootste wapenfeit.

Het nachtleven in Huddinge heeft zich voornamelijk verplaatst naar Stockholm en zaterdagavond om tien uur wemelt het station van pubers die op weg zijn naar de stad, waar ze verscheidene uren later uit terugkeren met de nachtbus, de meesten halfdronken en degenen die het niet zijn, houden de schijn op en doen alsof.

Kristina hief haar glas met wijn. 'Ik zal geen toespraak houden', begon ze en ze had daar meteen al spijt van omdat ze moest denken aan haar vader, die als leraar Latijn altijd placht te zeggen: 'Je moet nooit een toespraak beginnen met wat je niet zult doen. Daarin is niemand geïnteresseerd. Je moet altijd beginnen met wat je wel zult doen.'

Daarvoor was het nu te laat. Ze had een valse start gemaakt. Ze kon het alleen nog rechtbreien. 'Of toch, ik ga wel een toespraak houden.'

De vaderlijke raad bleek nog steeds te gelden, want nu luisterden ze allemaal naar haar. 'Maar ik zal een korte toespraak houden.'

Daar ga ik weer. 'Je moet ook niet beloven dat je het kort zal houden. Die belofte alleen al kost tijd en men heeft in de loop der jaren geleerd dergelijke beloften te wantrouwen.' Daar was haar vader weer.

Een Cicero zal ik wel nooit worden.

'Proost!'

De anderen lachten opgelucht. Er zou geen toespraak komen. Ze proostten met haar en loofden haar mooie toespraak.

Daarna dobberde het gesprek rond als een zeehond. Soms praatten ze met zijn vieren, soms twee aan twee. Soms zat een van hen stil te denken aan God weet wat.

Maria was het stilst, maar opeens zei ze: 'Ik moet steeds aan Alexandra Filippovna denken.'

'Ja, maar zij kreeg de kans haar leven te leven. Dat van haar dochters was erger.' Östen probeerde altijd een rechtvaardiging te vinden.

'Ik moet ook veel aan Olivelöf denken. Zijn leven is geruïneerd.'

'Mijn beste chef, ik kan niet zeggen dat ik dat nou zo spijtig vind.' Thomas praatte hard, alsof hij dronken aan het worden was.

'Waarom zeg je dat? Een begaafd mens zal God weet hoelang achter de tralies zitten.'

Thomas keek haar plagerig aan. 'Dat staat nog niet vast.'

'Maar hij heeft toch bekend', zei Östen.

'Dat weet ik wel. Maar een bekwaam advocaat kan veel verzachtende omstandigheden bedenken en een gewillige rechter kan het met hem eens zijn. Tijdens mijn dertig jaar als politieman heb ik dat verscheidene keren zien gebeuren. Er is een rechtvaardigheid voor wie binnen de muren geboren is en een andere voor wie daarbuiten is geboren. Gelukkig hoeven wij geen recht te spreken. Wij hebben ons werk gedaan. Nu spelen we de bal verder, onder meer naar die heer daar, die zojuist is binnengekomen.'

Daarmee doelde hij op rechter Anders Berlin, die een hapje wilde eten voordat hij huiswaarts ging, waar niemand op hem wachtte behalve een oude cactus die hij van zijn vrouw had gehad en die vervelend genoeg alle ontberingen doorstond en eens per jaar met grote, mooie paarsrode bloemen bloeide.

Hij knikte het gezelschap vriendelijk toe, maar maakte geen aanstalten om zich bij hen te voegen. Hij bestelde een whisky met veel ijs, pakte een boek uit zijn tas en begon te lezen.

Kristina probeerde, zonder resultaat, de titel te ontcijferen.

'Kan een rechter verliefd worden?' wilde Thomas weten.

Dat raadsel zouden ze vanavond niet oplossen, en al helemaal niet omdat de glazen leeg waren en er op een of andere vreemde manier groter uitzagen dan daarvoor.

Leegte neemt kennelijk plaats in.

45

Kristina nipte aan haar martini, deed een danspasje van het minder gracieuze soort, roerde in de wok en ging daarna aan de keukentafel zitten. Ze had de kaart van Europa en verschillende reisbrochures voor zich liggen. Het was tijd om de vakantie te plannen.

Johan was nog niet thuis. Hij had een vergadering op school, waar een nieuw geval van mishandeling had plaatsgevonden. Deze keer ging het om een leraar die door twee leerlingen in elkaar was getrapt, twee ribben had gebroken en drie voortanden miste. De middelbare school van Botkyrka was gevaarlijk terrein.

Ze wilde hem verrassen met garnalen in tomatensaus, daar hield hij zo van. Ook had ze een fles chablis in de koelkast gelegd. Daarna zouden ze hun vakantie uitstippelen. Ze had zin om weer eens naar Praag te gaan. Ze was er een keer samen met twee vriendinnen geweest, toen ze nog op de middelbare school zat.

Ze waren er met de trein heen gegaan, ze wisten niet veel van het land, waren een beetje ongerust, maar daar bleek geen enkele aanleiding toe. Meteen op het station al nam een echtpaar van middelbare leeftijd, dat kamers verhuurde om hun magere kas te spekken, hen onder hun hoede. Het waren aardige mensen die op zo'n zachte manier Duits spraken, dat ze daarmee alle gruwelen van de Tweede Wereldoorlog uitwisten.

De stad was een openbaring voor hen. De smalle steegjes, het enorme joodse kerkhof, het presidentspaleis, het plein en niet te vergeten de vele gelegenheden waar je na een lange wandeling in de warmte een koel glas bier kon drinken. En dan de oevers van de Moldau. Ze hadden het nevelige ochtendlicht, dat de huizen met Jugendstildecoraties aan de voorgevels vrij in de lucht liet zweven, gemist vanaf het moment dat ze waren vertrokken. Ze had zichzelf beloofd terug te komen met iemand van wie ze hield.

Ze was in een goed humeur en dat was niet de verdienste van de martini. Ze dronk niet om haar humeur op te vijzelen, ze dronk wanneer ze al in een goed humeur was. Ze had besloten om haar huwelijk te redden en op te houden over hun kinderloosheid te piekeren, gewoon opnieuw te beginnen.

Waarom water naar de zee dragen?

Ze had een man, een goeie. Misschien niet de beste minnaar ter wereld, zij was ook niet de beste minnares ter wereld, maar ze was zijn lichaam toch gewend. Ze hield ervan hem te zien bewegen of gewoon naar hem te kijken als hij naast haar op zijn buik lag te slapen als een pasgeboren baby.

Waarom was hij zo laat?

Wanneer je een verrassing hebt voorbereid, gaat de tijd vreselijk traag. Het was precies zoals haar vader altijd zei: 'Als je in de toekomst investeert, krijg je ook haast om er te komen.'

Eindelijk hoorde ze zijn auto de oprit op draaien. Ze deed haar schort af, wierp een snelle blik in de spiegel en liep naar de deur om die open te doen, maar dat was niet meer nodig, want Johan had hem al geopend en stond voor haar neus met een uitdrukking op zijn gezicht alsof hij onderweg tienduizend duivels was tegengekomen.

'Wat is er?'

Hij liep haar open armen voorbij alsof ze een verkeers-obstakel waren en koerste recht op de slaapkamer af. Ze liep achter hem aan en zag hoe hij de klerenkast opentrok, een koffer pakte en daar wat ondergoed en een paar overhemden en broeken in smeet.

'Waar ben je mee bezig?'

Hij zei niets. Ten slotte gooide hij de koffer met een klap dicht en keek haar aan. 'Nu ga ik.'

Hij tilde zijn koffer op en liep haar weer voorbij.

Ze wist niet wat ze moest doen. Ze wilde schreeuwen, ze wilde hem slaan. Maar ze deed niets en stond daar maar met haar armen hangend langs haar lichaam. Ze hoorde de deur open- en dichtgaan. Ze hoorde hoe hij de auto startte en wegreed.

Ze dacht dat haar hart zou breken, maar werd verrast door wat er gebeurde: ze moest lachen. Niet hysterisch, niet in plaats van huilen. Ze moest lachen uit enorme, overweldigende opluchting.

Mijn god, wat een saaie Piet! Hij kwam binnenstormen als de brandweer en in plaats van het vuur te doven wakkerde hij het juist aan.

Nog steeds lachend liep ze de keuken in, deed het fornuis uit en nam nog een martini. Alleen in huis. Hij was vast verliefd geworden op een leraresje met Lapse laarzen en een ecologisch groentetuintje! Hij kon de pot op! Alle mannen konden de pot op!

Ze liep van kamer naar kamer en heroverde haar huis. Toen ze bij de slaapkamer aanbelandde, kreeg ze kramp in haar buik. Ze vond het eruitzien als een catacombe. Hoe had ze het daar in 's hemelsnaam zo lang uitgehouden?

Ze zette het raam wagenwijd open. Vannacht zou ze in de studeerkamer slapen. Ze was niet van plan dat graf ooit nog binnen te gaan. En nu ze toch bezig was, deed ze meteen de kasten dicht die hij open had laten staan.

Ten slotte ging ze op de rand van het bed zitten, ademde de vochtige lucht van de haven van Vårby in.

Als Johan er was geweest, dan had hij een zoen gekregen omdat hij haar had verlaten.

Ik ben vrij!

Dat was meer dan Jean Olivelöf kon zeggen.

Ze ging aan tafel zitten en at met veel smaak. Ze sloeg de krant over de hele tafel open, dronk een glas chablis en belde daarna haar vader om het goede nieuws te vertellen.

'Pappie! Johan is ervandoor. Hij is bij me weg.' Ze deed moeite om niet te giebelen.

De leraar aan de andere kant van de lijn was niet zo

gemakkelijk te bedotten. Hij kwam niet met onnodige woorden van troost. Hij zei alleen: 'Die miezerige rat zal wel een ander jampotje gevonden hebben.'

Hij had zijn schoonzoon nooit gemogen, al was het niets persoonlijks. Het kwam er ongeveer op neer dat hij het überhaupt niet op schoonzonen had.

'Is er iets wat je nodig hebt?'

'Ja.'

'Wat dan?'

Eindelijk liet ze haar lach door de hoorn klinken. 'Een rookworst met vleugeltjes!'

Dat kwam uit een verhaaltje dat hij haar vroeger vertelde, toen ze klein was. Hij had het zelf verzonnen, al droeg zij iedere avond bij met nieuwe afleveringen.

Ook hij moest lachen. 'Je wordt al groot.'

'Ja, misschien heb je daar wel gelijk in.'

Pas toen ze voor zichzelf een bed in de studeerkamer aan het opmaken was, zag ze in hoe absurd de hele situatie eigenlijk was. Zonder een woord van uitleg was de man met wie ze al jarenlang haar leven deelde, ervandoor gegaan. Razend van schaamte was hij als een doodsbange slang weggekronkeld.

Ze had moeite de slaap te vatten. Ten slotte stond ze op, zette een kop thee voor zichzelf en begon het verslag van het verhoor van Jean Olivelöf te lezen. Ze wilde weten welke vragen ze moest stellen wanneer ze hem 's ochtends weer zou zien.

Die gedachte gaf haar een zekere rust en wat later keerde ze terug naar haar provisorische kampement. Ze viel in slaap en droomde dat ze in Praag de weg was kwijtgeraakt, in de kleine steegjes ronddoolde en op een gegeven moment in het straatje van de alchemisten belandde waar een oude alchemist, met dezelfde ogen als Jean Olivelöf, haar overviel met een gigantische, houten pollepel waarop met sierlijke, gotische letters 'Johan' stond. Ze werd met tranen in haar ogen wakker.

Het was vijf uur en ze hoorde de auto van de krantenbezorger hard afremmen bij haar brievenbus. Het was nog niet echt tijd om op te staan. Ze bleef op de niet al te gerieflijke bedbank liggen.

Is dit hoe mijn verdere leven eruit zal zien?

Ze miste de aanwezigheid van Johan, ook al miste ze hém niet. Het was wel beschouwd niet zo vreemd dat hij op een ander verliefd werd. Ze had haar verdenkingen gekoesterd, maar hem er niet mee willen confronteren. Nu was hij weggegaan zonder de confrontatie aan te gaan, zonder er een woord aan vuil te maken.

Misschien was het de enige manier, maar ze wist dat alle onuitgesproken woorden haar zouden plagen, en ze zouden hem ook plagen en dat zou waarschijnlijk zijn nieuwe leven kapotmaken, een nieuw leven dat was begonnen in een bad van in stilte verdronken, onuitgeleefde gevoelens.

Misschien moest ze hem een brief schrijven. Ja, dat zou ze doen, niet nu, maar over een tijdje, wanneer ze zich rustiger voelde en zekerder over wat ze hem zou zeggen.

Met dat voornemen als excuus ontbeet ze en las ze haar krant alsof er niets was gebeurd.

46

Östen reed vanuit het eetcafé niet naar huis, maar naar het bos bij Lida gård. Hij had zijn trainingspak en sportschoenen in de auto liggen. Hij wilde iets actiefs doen, hij had geen zin om nog een zinloze avond voor de tv door te brengen.

Het weer was omgeslagen. Warme lucht vanuit het oosten had de koude vochtigheid van de afgelopen dagen verdrongen, de lucht was onbewolkt, de temperatuur liep tegen de twintig graden.

We hebben dit jaar dan wel geen lente gehad, maar het lijkt in ieder geval zomer te worden. Hij ademde diep in.

Hij was bij lange na niet de enige die deze avond naar het bos was gekomen. Een groot gezelschap moslims speelde een partijtje voetbal met meer enthousiasme dan vaardigheid, terwijl de vrouwen dicht bij elkaar zaten alsof er een coup werd voorbereid. Ze bleken boterhammen klaar te maken.

Hij voelde de neiging om naar hen toe te gaan, bij hen te zitten en naar hun onbegrijpelijke taal te luisteren, hun geuren in te ademen. Hij voelde de impuls om voor even weer vijf jaar te zijn en iedereen weet dat zulke impulsen gewoonlijk tot flaters leiden.

Hij wist dat ook. Daarom liep hij met grote, energieke passen het bos in. Hij was immers niet voor niets juniorenkampioen op de vijftienhonderd meter geweest. Maar toen was die irritante pijn in zijn hiel komen opzetten. De atletiekbond stuurde hem van de ene naar de andere arts.

Ze konden niets verkeerds ontdekken. Hij werd aan verschillende therapieën met zalfjes en massages en infraroodlampen onderworpen. Niets hielp. Het vreemde was dat de pijn er niet altijd was. Hij kon aan een wedstrijd beginnen zonder ergens last van te hebben. Maar dan, wanneer hij ongeveer driehonderd meter voor de finish de aanval zou inzetten, was daar die pijn, steeds even verrassend. Hij moest wedstrijden hinkend uitlopen.

Uiteindelijk was er een legerpsycholoog die het idee opperde dat de pijn misschien geen fysieke oorzaken had, maar uitsluitend psychisch was bepaald. Östen leed aan angst voor de finish, hij was bang om zichzelf tegen te komen onder het oog van honderden toeschouwers die van hem eisten dat hij alles gaf wat hij in zich had.

Was het met Eva niet net zo? Zij eiste alles wat hij had, en alles wat zij daarvoor terug wilde geven waren een paar terloopse liefkozingen. Ze was een toeschouwer die verwachtte dat hij de wedstrijd zou uitlopen, om hem vervolgens de rug toe te keren en zich aan de volgende wedstrijd te wijden. De verhouding tussen zijn inspanningen en de beloning die hem wachtte was gewoon helemaal scheef.

Hij stopte met de wedstrijden en had er niet op gerekend dat de ontwenningsproblemen zo groot zouden zijn. Hij miste de spanning vlak voor een wedstrijd enorm, de steelse blikken van de tegenstanders, het zweet dat stroomde alsof zijn lichaam regen aanmaakte, en vooral het magische moment wanneer het startschot klonk en het alleen om hem en de witte lijn vijftienhonderd meter verderop ging. Tussen hem en die lijn lag niets, behalve lucht, soms dun, soms zwaar en vochtig, maar toch gewoon lucht, die hij met meer begeerte inademde dan ooit de geur van een vrouw.

Het patroon herhaalde zich nu. Hij had afstand gedaan van Eva, maar het gemis was sterker dan hij had gedacht. Er was vooral iedere ochtend een moment dat hij altijd aan haar moest denken. Dat was wanneer hij zijn bed opmaakte. Om de een of andere reden moest hij dan aan haar denken, daar was geen ontkomen aan. Het was pathetisch, haast belachelijk.

Wat mis ik in godsnaam zo?

Hij voerde het tempo op. De vraag was niet onredelijk. Ze deden haast nooit iets samen, behalve dat wat ze altijd deden als ze samen waren. Ze waren nooit samen op reis geweest, ze werden niet naast elkaar wakker, gingen nooit naar de film, nooit eens uit eten. Ze hadden niet eens samen mens-erger-je-niet gespeeld.

Hij was inmiddels diep in het bos beland, waar het pad steil omlaag liep naar het meer. Zijn passen werden langer, hij vloog naar beneden als een engeltje dat tikkertje speelt met zijn god.

Op het verlaten strand zag hij een stelletje dat, zich niet bewust van zijn aanwezigheid, verderging op hun reis door die speciale ruimte van geliefden waar ieder ongearticuleerd gegrom of gezucht in het oor van de ander klinkt als een toon van de harp van het universum.

Ze waren, kort gezegd, niet toegankelijk voor iemand anders dan elkaar. De vrouw lag onder, met haar benen gespreid in de oudste van alle nijptangbewegingen. Ze kneep haar ogen dicht, terwijl haar mond in hetzelfde ritme beefde als die andere mond iets lager.

Östen werd overvallen door een hevige misselijkheid

die hem dubbel deed slaan. Voorzichtig, met bonzend hart, verwijderde hij zich. Weer in het bos ging hij onder een den zitten en probeerde rustig adem te halen.

Hij was verlamd van schrik. Wat hij had gezien, was de verrukking van de liefde wanneer er geen weg terug meer is. Hij wist dat de vrouw Eva niet was en toch zag hij Eva. De gedachte dat zij die reis samen met iemand anders zou maken, sloeg de grond onder zijn voeten weg.

Hij stond langzaam op, probeerde het winnende tempo in zijn passen weer te pakken te krijgen, maar toen kwam de pijn in zijn hiel terug. Hij had er al een paar jaar geen last meer van gehad.

Hinkend begaf hij zich naar de auto en had een besluit genomen. Hij moest haar spreken. Nu, meteen. Het was al halfacht. Het gezelschap allochtonen maakte zich op voor vertrek. Het licht ook.

Östen pakte zijn mobiele telefoon. Zonder zich de tijd te gunnen om zich te bedenken belde hij Eva's nummer. Maar hij kreeg alleen een antwoordapparaat te horen.

Alle lucht ontsnapte hem. Hij zonk dieper weg in de autostoel, terwijl hij tegen zijn tranen vocht.

Na een tijdje kon hij zich voldoende concentreren om naar huis te rijden. Het donker zat nu schrijlings op het water van het lagergelegen meer. In zijn hart was het al donker geworden.

Hij hield van de verkeerde vrouw, op het verkeerde moment van zijn leven. Hij kon niets veranderen, noch aan haar, noch aan het moment. Alleen aan zijn eigen liefde kon hij iets doen.

Hoe dood je die? Of om precies te zijn, wat moet je doden, zodat die liefde zal sterven? Je geslacht? Je hersenen? Wat?

Misschien moest hij verhuizen. Misschien moest hij overplaatsing aanvragen naar een andere stad, Visby misschien.

De gedachte sprak hem aan. Hij kon zichzelf al zien zitten in een van de cafeetjes in de haven, met een glas wijn voor zijn neus. Buiten zou een stevige wind waaien die de wolken verscheurde, net zoals de herinnering aan haar zijn sombere gedachten verdreef. Als hij maar weg zou gaan, zou hij in alle rust van haar kunnen houden.

Uiteindelijk moest hij toch erkennen dat je niet zomaar kunt scheiden. Hij had haar er weliswaar in zijn meer cynische buien van beschuldigd dat ze het aangename leven met een man van wie ze niet hield, maar die haar alles kon geven wat ze begeerde, niet wilde achterlaten.

Daar had hij nu spijt van.

Welk recht had hij eigenlijk om tussen hen in te gaan staan? Hoe had hij zijn gevoelens zo belangrijk kunnen vinden dat een gezin uit elkaar zou moeten, opdat hij degene kon krijgen die hij wilde.

De enige juiste keuze was om weg te gaan. Zijn hart door te slikken, zoals Maria gezegd zou kunnen hebben, en een steen achter zich te gooien. Het stof van de schoenen slaan. Gewoon verdwijnen.

Maar hoe kon hij haar gewicht tegen zijn lichaam uitwissen? Hoe kon hij het gat in zijn borst vullen?

Misschien was het toch gemakkelijker om met het gemis en het verdriet te leven dan met deze onzekerheid.

Morgen al zou hij overplaatsing aanvragen. Hij had besloten. Aan een liefde die je niet bereid bent te verliezen, heb je ook niets.

47

De volgende ochtend om tien uur werd Jean Olivelöf opnieuw naar de verhoorkamer gebracht, waar Kristina al klaar zat. Dat was in strijd met de verhoortechnieken, de regel was dat je de verdachte een tijdje liet wachten, maar daar had ze op dit moment lak aan. Haar behoefte om hem hoffelijk tegemoet te treden was groter.

Hij zag er moe uit, de glans in zijn ogen was matter geworden. Een nacht in de cel laat altijd sporen achter, maar het had niet zijn intuïtie beïnvloed, noch zijn glimlach.

'U lijkt een lange nacht achter de rug te hebben. Ik hoop dat hij niet té lang was.'

Kristina gaf geen antwoord. In plaats daarvan zette ze de bandrecorder aan en zei met heldere stem: 'Het tweede verhoor met de heer Jean Olivelöf. Aanwezig zijn politievrouw Maria Valetieri, politie-inspecteur Östen Nilsson en rechercheur-hoofdinspecteur Kristina Vendel. Het is vrijdag 6 juni 1997. Tien uur.'

Daarna wendde ze zich tot Jean Olivelöf. 'Goed... u zei gisteren dat u, toen Natasha Filippovna uit uw leven begon weg te glijden, nog maar één mogelijkheid zag. Wat bedoelde u daarmee?'

'Wat denkt u dat ik bedoelde?'

'Wat ik denk en niet denk doet niet ter zake.'

'Nee, dat is zo. Het enige wat in dit verband ter zake doet is de waarheid, welke dat ook is. Hoe het ook zij... Natasha begon met vreemde mensen om te gaan... Ik had het vermoeden dat ze in contact was gekomen met de Russische maffia hier in Stockholm... die is niet groot, maar hij is er wel. Ze houden zich bezig met drugs, mensenhandel, prostitutie. De avond waarop alles gebeurde, was ik weg geweest voor een optreden. Ik kwam laat thuis, alhoewel ik tegen Natasha had gezegd dat ik waarschijnlijk in Örebro, waar ik had gespeeld, zou blijven slapen. Maar ik veranderde van gedachte en de aanleiding daartoe was dat de stroomversnelling voor het raam van mijn hotelkamer zo'n lawaai maakte dat ik niet kon slapen. Ook al was de kamer heel mooi en had de portier heel trots verteld dat Nobelprijswinnaar Josef Brodsky in hoogsteigen persoon er ooit de nacht had doorgebracht. Neemt u me niet kwalijk dat ik afdwaal naar allerlei details, maar dat heb ik altijd al gedaan. Ik herinner me slechts details... denk slechts in details... ik heb nooit een grote, samenhangende gedachte in mijn hoofd... mijn hoofd is een kerkhof voor vergeten details... Hoe dan ook, ik ging op weg en kwam tegen een uur of twee thuis. Ik zag dat het licht in de woonkamer brandde. Eerst dacht ik dat ze had vergeten het uit te doen... dat deed ze namelijk vaak, al herinnerde ik haar eraan, maar haar oren zweetten niet, zei ze... dat wil zeggen, ze luisterde niet naar me. Ik parkeerde de auto en liep het huis binnen. In de woonkamer klonken stemmen. Ze praatten Russisch. Ik wist niet wat ik moest doen. Het was mijn huis. Wat deden die mensen in mijn huis? Dus ik liep naar binnen. Natasha lag op de bank en drie mannen waren met haar bezig. Wat klinkt dat idioot. Ze waren helemaal niet zomaar met haar bezig. De ene lag haar te neuken, de tweede stopte zijn lid in haar mond en de derde filmde het geheel. Het was, met andere woorden, een porno-opname. Met een landgoed als decor, succes verzekerd. Ik was razend. De drie mannen smeerden hem snel, maar Natasha bleef op de bank liggen en wilde met me vrijen. Ze had zo veel cocaïne gesnoven dat ze met een miereneter had kunnen neuken. Ze draaide met haar heupen, likte met haar tong langs haar lippen, spreidde haar benen. Het was niet alleen pathetisch... het was niet alleen vulgair... het was onmenselijk... Dus ik sloeg haar... een harde klap onder haar rechteroog... ze brulde alsof ik haar met een mes had gestoken... Ineens haalde ze vanuit het niets een pistool tevoorschijn en richtte dat op mij... Ik greep haar arm en begon met haar te worstelen... ze was oersterk... ze zou me neerschieten als ik haar niet voor was... Het lukte me het pistool van haar af te pakken en ik schoot... dat detail ben ik vergeten... ik herinner me niet of ik een, twee of drie keer schoot... Daarna lag ze daar... ik trilde als een riet... Aljosa was wakker geworden en kwam aangerend... ik probeerde hem te troosten... ik gaf hem de helft van een van mijn slaappillen... Daarna droeg ik haar naar de kelder... totdat ik een manier had bedacht om van het lichaam af te komen.'

'U hebt er nooit aan gedacht om de politie te bellen?'

Hij keek haar verbaasd aan. 'Nee... ik heb de politie nog nooit gebeld, voor wat dan ook... het kwam niet in me op... Ik dacht er alleen maar aan dat ik haar moest zien kwijt te raken, dat ik een verhaal moest verzinnen, ik was absoluut niet van plan om vanwege een ongelukje in de gevangenis te gaan zitten wegrotten... Ik had weliswaar geschoten, maar het was niet mijn bedoeling geweest haar te doden. Ik ben geen moordenaar, ik had alleen pech. Het schot had net zo goed mis kunnen zijn... ik richtte niet eens... ik wilde haar alleen bang maken en haar ervan verhinderen mij neer te schieten.'

Plotseling scheen de zon op het raam en lichtte de kamer op. Olivelöf schudde zijn hoofd. 'Te bedenken dat zelfs het licht een verrassing kan zijn.'

'Wat gebeurde er toen?' Kristina wilde hem niet de vrije teugel laten.

'De dag erop kocht ik ergens in Nacka een stel plastic zakken... diezelfde nacht gooide ik haar in het water. De rest is bekend.'

'Waar precies gooide u het lichaam in het water?'

'Hier in de buurt, bij Vårby... Ik dacht dat de stroom het in de richting van Stockholm zou meenemen... maar het moet ergens vast zijn komen zitten.'

'Hebt u verder nog iets toe te voegen?'

'Ja, één ding nog. Anja zal zeker een advocaat in de arm nemen. Ik wil geen advocaat. Gebeurd is gebeurd. Nu rest alleen nog de straf. Ik heb nooit de illusie gehad dat ik het zou redden... ik wist steeds dat het een kwestie van tijd zou zijn... en ik heb veel tijd gekregen... Ik kwam Anja tegen en werd verliefd... we verwachten een kind samen... Op een dag kom ik wel weer vrij... dan wil ik een zuiver geweten hebben... ik bedoel dat ik dan de zekerheid wil hebben dat ik de prijs voor wat ik gedaan heb, heb betaald... Ik wil geen juridische schijnbewegingen... ik weet dat ik geen moordenaar ben, maar ik weet ook dat ik het wel ben geworden. Op het moment dat de schoten haar troffen... ik genoot ervan... het geweld was het enige dat plotsklaps zo echt voelde... Ik denk niet dat de meesten daar ooit aan denken... we leven ons leven met zoveel

249

kant-en-klare opvattingen en voorstellingen... we wentelen ons in leugens... en toen kwam die gewelddadige handeling en wierp zijn onbarmhartige licht op mij... het geweld maakte een echt mens van me... Het is verschrikkelijk, maar het zegt meer over onze maatschappij dan over mijzelf... Begrijpt u wat ik bedoel?'

Kristina begreep het. Ze maakte zichzelf voortdurend zorgen dat ze een vals leven leefde, zoals een koorddanser die het koord op de grond legt.

'U bedoelt te zeggen dat het uiteindelijke genot geweld is?'

'Ja. Dat is precies wat ik bedoel. Het geweld en de macht, het heersen over een ander mens, god te zijn. De rest is niets dan half potente surrogaten. Geld, liefde, prestige. Het zijn alleen maar hazenpaadjes naar de macht. De grote, rechte laan is het geweld.'

Maria wist dat ze niets moest zeggen. Maar ze kon het niet laten, omdat ze het geweld in de ogen had gekeken. Wanneer haar man zich met verwrongen gezicht aan haar opdrong, was dat geen mooi schouwspel, hij leek niet op iemand die het nastreefde een god te worden, juist niet, hij leek op iemand die afstand deed van zijn menszijn.

'Waarom zouden we dit mooie verhaaltje geloven?'

Olivelöf keek haar aan alsof hij zich voor het eerst bewust werd van haar aanwezigheid. 'Maakt het uit of u mij wel of niet gelooft? Al zou het leuk zijn om te weten wat voor verhaaltje u wel zou geloven.' Hij zei het zonder ironie, eerder met een zeker verdriet in zijn stem.

'Ik denk dat u haar vermoordde, omdat ze in de weg stond voor uw nieuwe leven met Anja von Löwenmüller. Ik denk dat u de moord nauwkeurig en lang van tevoren hebt gepland... en ik denk...' Ze twijfelde of ze verder moest gaan. Ze keerden zich allemaal naar haar om. 'Ik denk dat Anja von Löwenmüller u heeft geholpen om van het lijk af te komen.'

Het werd doodstil. Het was een ongekende aanklacht, die als een volkomen verrassing kwam. Maria had haar vermoedens tegenover niemand geuit. Ze had het er met geen woord met Kristina over gehad en die keek haar nu net zo geschoqueerd aan als de rest.

Olivelöf barstte uit: 'Je hebt het recht niet Anja hierbij te betrekken. Hoe durf je zoiets absurds te beweren?'

Maar in zijn verontwaardiging klonk ook een valse toon door. Een minder getraind oor dan dat van Kristina had dit nooit opgepikt.

Maria pakte een pen uit haar tas en een stukje touw. Toen liep ze naar Olivelöf en bood ze hem aan. 'Alstublieft. Wilt u een timmersteek met halve slag leggen?'

'Hoezo? Wat is dat nou weer?'

Maria keek hem recht in de ogen. 'Daarmee was het lijk vastgebonden. Met een timmersteek met halve slag. Kunt u die leggen?'

'Dat is het belachelijkste wat ik ooit gehoord heb. Ik heb het lijk zo goed en kwaad als ik kon vastgebonden. Hoe, dat interesseert me niet. Ik kan het me niet meer herinneren.'

'Maar Anja wel. Ik heb het gecontroleerd. Ze heeft van kinds af aan gezeild.'

Hij slaakte een diepe zucht. 'Ik geloof niet dat ik verder nog iets wil zeggen, voordat mijn advocaat hier is.'

Hij wist zelf dat hij hiermee bekende dat Maria gelijk had, maar zag kennelijk geen andere uitweg.

Kristina wist dat het niets zou uithalen om hem onder druk te zetten. Daarom zette ze de bandrecorder uit en twee bewakers namen Jean Olivelöf mee naar de cel.

48

'Ik wacht op een verklaring!'

Kristina was niet zo boos als ze klonk. Eigenlijk was ze trots op Maria's initiatief, maar het was vervelend om er niet van op de hoogte te zijn.

'Eerlijk gezegd had ik het van tevoren helemaal niet voorbereid. Het kwam in me op toen ik hem erop los hoorde ratelen. Alleen degenen die liegen, kunnen zo vrijuit praten... Toen moest ik aan die knoop denken... en ik deed wat mijn oma altijd zegt... ik viste op het droge... maar hij hapte toe.'

Östen gaf haar een schouderklopje. 'Ik wist niet dat je zo'n maffioso was.'

Ze bloosde wat, maar gaf snel antwoord. 'Op een dag zul je een aanbod krijgen dat je niet kunt afslaan.'

'In dat geval moet je opschieten.'

'Luister,' kwam Kristina tussenbeide, 'kunnen we ons even concentreren? Waar is Thomas trouwens?'

'Hij ploetert nog steeds met die moordbrand.'

'Goed. Stel dat Maria gelijk heeft. Dat Anja von Löwen-müller onze man heeft geholpen om van het lijk af te komen. Kunnen we dat bewijzen? Het is niet genoeg dat Olivelöf die knoop niet kan leggen, dat bewijst nog niet dat Anja hem heeft gelegd. Het kan ook iemand anders zijn. Alleen als ze beiden bekennen, is het genoeg voor het bewijs. Maar als ze allebei ontkennen, hebben we geen poot om op te staan.'

'Je hebt gelijk.' Maria zag de redelijkheid van Kristina's argument in.

'We moeten maar afwachten wat de officier van justitie ervan vindt. Zou ze vandaag trouwens niet langskomen?'

Östen had zijn zin nog niet afgemaakt of er werd aangebeld. Het was Mitsuko Öberg-Namamoto. Kristina praatte haar snel bij over de laatste ontwikkelingen. Mitsuko luisterde aandachtig.

'Mijn spontane reactie is dat Maria gelijk heeft. En net zo spontaan denk ik dat Kristina gelijk heeft. Het zal heel moeilijk worden om te bewijzen dat ze hem heeft geholpen... We hebben geen tekenen gevonden die haar met de plaats in verband kunnen brengen... we weten bijvoorbeeld niet eens of Olivelöf haar toen al kende. Bovendien is ze in verwachting, hebben jullie gezegd... Jullie begrijpen dat het lastig zal worden voor de rechters... ze zullen op zoek gaan naar een mogelijkheid om haar vrij te spreken... Morgen is de voorgeleiding... ik verwacht niet dat het een probleem wordt om hem langer in hechtenis te mogen houden... ook al is Rambo bekwaam.'

Rambo was het koosnaampje van topadvocaat Fredrik von Axeltoft, die bovendien goed bevriend was met rechter Berlin, ze joegen samen.

Mitsuko ging verder. 'Wel. De zaak ligt niet langer in jullie handen. Jullie hebben fantastisch werk geleverd. Nu is hij van mij!'

Trouw aan haar gewoonten stond ze op en verdween

even plotseling als ze was komen binnenlopen. In de deur draaide ze zich om. 'Ik zou graag op zijn laatst morgenvroeg een afschrift van het verhoor ontvangen.'

Kristina knikte.

Er zijn mensen die een hele kamer kunnen vullen. Mitsuko hoorde niet bij die groep mensen. Maar ze had daarentegen het vermogen om een kamer te legen. Toen ze weg was, voelde het ineens alsof ze zich in de Sinaïwoestijn bevonden.

Kristina was helemaal niet van plan geweest haar hart uit te storten, maar toch zei ze zachtjes: 'Mijn man heeft me gisteren verlaten! Maar het maakt niet zoveel uit.'

'Ik ben van plan om mijn man te verlaten, dat maakt nog minder uit.' Maria wreef in haar ogen alsof ze net wakker was geworden.

Östen dacht dat ze een grapje maakten. 'Ik ben van plan om deze post te verlaten en dat maakt helemaal niets uit.'

'Goed. Tot zover de bespreking van onze persoonlijke problemen, laten we overgaan tot onze gemeenschappelijke problemen. De vakantie! We moeten besluiten hoe we die gaan aanpakken.'

Kristina keek hen gekscherend aanmanend aan. Maar Maria wilde het eerst over iets anders hebben. Ze vroeg zich af welke straf Olivelöf zou kunnen krijgen. Östen had daar wel wat over te zeggen.

'Tja, we mogen blij zijn als we hem geen schadevergoeding hoeven te betalen. Wat hij zou kunnen krijgen? Een paar jaar misschien... vijfentwintig procent belasting eroverheen... dat zijn dan nog eens vijf maanden... en dan zit hij de helft van zijn tijd uit... als hij niet veroordeeld wordt tot psychiatrische behandeling... Hoe dan ook, over hooguit anderhalf jaar is hij weer in ons midden.'

'Je moet niet zo cynisch zijn', wees Kristina hem terecht. 'Maar? Wat doen we met de vakantie?'

'Wat mij betreft mag Thomas als eerste bepalen wat hij doet. Hij heeft een gezin', stelde Maria voor. Niemand maakte bezwaar.

Kristina bleef in haar stoel zitten en keek door het raam naar buiten. Alweer zag ze het jongetje dat naast zijn oom fietste. Zij hadden Natasha Filippovna gevonden. Ze hoopte maar dat ze voorlopig niet nog iemand zouden vinden.

Ze vermande zich en was juist op weg naar de secretaresse om een afschrift van het verhoor te regelen, toen haar telefoon ging.

49

Een halfuur later pakte Kristina het veer naar Ekerö. Het was zonnig, juni was goed begonnen. Er stond een oostenwind die zacht aanvoelde als een kinderlijfje. Ze draaide het raampje omlaag en haalde diep adem, in de hoop dat ze met de frisse lucht ook een beetje licht zou opvangen.

Wat zou Anja von Löwenmüller van haar willen? Zou ze misschien bekennen dat ze Olivelöf had geholpen om zich van Natasha's lijk te ontdoen? Of wilde ze toestemming zien te krijgen om hem te mogen bezoeken? Maar dat viel niet binnen haar verantwoordelijkheid.

Aan de andere kant, waarom zou ze erover speculeren? Ze zou het straks weten. Ondertussen kon ze zich beter wijden aan het plannen van een vakantie zonder man. Ze zou niet naar Praag gaan. Ze wilde daar niet alleen zijn. Er zijn andere steden die leuker zijn als je alleen bent. Parijs bijvoorbeeld of Londen. Maar waarom een grote stad bezoeken? Waarom niet met een chartervlucht naar een van de Griekse eilanden, een paar weken in de zon liggen, retsina drinken en 's avonds reidansen dansen. En Griekse mannen zijn snel geïnteresseerd, mocht ze zin hebben in een avontuurtje.

Toch was het vreemd! Ze waren nu zo lang samen geweest, zij en Johan, en ze had nooit gedacht dat hij op deze manier zou weggaan. Ze had niet gedacht dat hij überhaupt zou weggaan. Wat voor vrouw was dat, die deze moed in hem naar boven haalde?

Ze was nieuwsgierig, maar constateerde gelaten dat ze niet jaloers was. Ben ik ooit verliefd op hem geweest? vroeg ze zich af. Dat moest ze wel geweest zijn, maar het was langgeleden. Waarom gaat een verliefdheid over?

Je zou er onderzoek naar kunnen doen. Het onrecht dat dertig jaar geleden is aangedaan wordt niet vergeten, maar een verliefdheid vergeet men al na een maand. Dat geldt uiteraard niet voor iedereen. Er waren mensen als haar vader, maar die soort werd niet langer gemaakt.

Misschien was het probleem ingebakken in het moderne leven, dat zich in principe steeds meer ontwikkelde als een vlucht, in eerste instantie weg van het eigen ik en in laatste instantie weg van de dood. De moderne mens stond voortdurend in de startblokken, een verliefdheid was een zevenmijlsstap die noodzakelijkerwijs door een volgende werd gevolgd, een aandrijfmotor van de ziel voor snelle inhaalmanoeuvres. Stilstand was de uiteindelijke nederlaag voor de moderne mens.

Heb je een plataan of een eik zich ooit zien verplaatsen? Hun wortels reiken dieper en dieper, terwijl ze zelf omhoog reiken. Maar mensen hebben geen tijd om te wortelen en ze denken dat een lift hen naar de hemel zal brengen.

Beweging en gelijktijdigheid waren het lot van de moderne mens. Dat was niet bepaald een vruchtbare basis voor lange ketens van gevoelens en verplichtingen, men verwarde eerder het ene met het andere en het eind van het liedje was de steriele vrijheid van de onafhankelijkheid. De mens werd geen boom zonder takken, maar een tak zonder boom.

Anja von Löwenmüller wachtte haar op de veranda op. Aljosa was niet te bekennen. Op een klein rond tafeltje stonden een thermoskan met koffie en een paar boterhammen klaar.

'Ik neem aan dat je nog geen tijd hebt gehad om te eten?'

Dat klopte.

'Waar is de jongen?'

'Hij is naar het strand gegaan. Hij vist graag.'

Ze had gewone visite kunnen zijn geweest. Er hing een zekere ongedwongenheid tussen hen in, die er het gevolg van was dat ze beiden heel zeker waren van hun rol. Het lam nodigt de wolf uit voor de lunch, voordat het zelf zal worden opgegeten.

'Is hij blijven praten?'

Kristina wilde niet de indruk geven dat ze haast had, want voor wie besloten heeft zijn hart uit te storten, is dat het ergste wat er is.

Anja daarentegen had haast om ter zake te komen. 'Mijn excuses dat ik je deze kant heb laten op komen.'

Ze maakte een grimas alsof ze pijn in haar buik kreeg.

'Schopt het?'

'Het is een enorme druktemaker. Je zou niet denken dat ze zo klein zijn. Pas geleden was ik bij de gynaecoloog en zag het kindje op het scherm. Nog geen tien centimeter lang en toch had het al kleine armpjes en beentjes en een hartje dat bijna buiten het lichaampje sloeg. Het was prachtig en terwijl ik keek, bewoog het zijn armpje alsof het zwaaide. Ik was bang dat ik een miskraam zou krijgen. Ik heb eerder een miskraam gehad, bij mijn vorige partner, maar het lijkt erop dat alles deze keer goed zal gaan.'

'Jullie willen het kind allebei?'

'O ja. Jean is een geboren vader. Je had moeten zien hoe goed hij Aljosa opving, met hem speelde, hem Zweeds leerde, hem viool leerde spelen.'

'Eigenlijk zijn veel mannen meer moeder dan veel vrouwen. Ik heb een arts ooit horen beweren dat veel mannen zelfs melk zouden kunnen krijgen.'

'Dat is nieuw voor me. Heb je zelf kinderen?'

Kristina schudde nonchalant haar hoofd. 'Nee. Ik heb de man van mijn dromen nog niet echt gevonden. Ik heb een tijdje gedacht dat ik dat wel had, maar hij is er gisteren vandoor gegaan.'

'Gisteren?'

'Gisteren.'

Anja keek haar verbaasd aan. 'Het is je niet aan te zien.'

'Geloof je dat je zoiets kunt zien?'

'Dat zou in ieder geval zo moeten zijn.'

De boterhammen waren opgegeten en Anja vond niet dat er reden was om haar mededeling langer uit te stellen.

'Je moet weten, Kristina... mag ik je zo noemen?'

Kristina knikte.

'Dank je. Je moet weten dat jullie de verkeerde gearresteerd hebben. Jean is niet degene die Natasha heeft gedood.'

'Wie was het dan?' Kristina had het antwoord al geraden.

'Ik was het.'

Het kwam niet als een verrassing. De verrassing lag daarentegen in de stem van Anja. Die gaf geen uitdrukking aan spijt, maar eerder aan een soort overtuiging dat ze er juist aan had gedaan.

Kristina zei niets. Ze wachtte op het vervolg.

'Ik had geen keus, begrijp je. Het was zij of ik.'

'Hoezo?'

'Ze liet ons niet met rust. Ze wilde niet accepteren dat Jean een punt achter hun relatie had gezet. De avond van 16 november was ik alleen thuis. Jean moest spelen in Örebro. Ik zou zijn meegegaan, maar had griep gekregen. Ik lag met veertig graden koorts thuis, toen ze plotseling opdook. Toen Jean haar eruit had gegooid, had ze een appartementje hier op Ekerö gehuurd. Jean betaalde natuurlijk de huur en praatte in op de buren die voortdurend klaagden over de wilde feesten die hele nachten lang plaatsvonden. Ze was helemaal losgeslagen. Ze dronk, ze was aan de drugs, dook met Jan en alleman het bed

in, verleende medewerking aan pornofilms die ze op-
stuurde aan Jean, omdat ze dacht dat ze hem daarmee
jaloers kon maken.

Hoe het ook zij, ik lag in bed, toen ze plotseling opdook.
Ze was vreselijk dronken, wankelde door de kamer, noemde me een hoer en zwaaide met haar kleine, lachwek-
kende pistooltje, dat ze vast van een van haar maffia-
vriendjes had gekregen. Ik probeerde haar te kalmeren,
wat op een gegeven moment ook lukte en ze viel daar
zomaar op de bank in slaap. Ik wist niet goed wat ik moest
doen. Ik walgde van haar. Ze sliep met haar mond open
en uit de ene mondhoek liep speeksel. Ze snurkte en liet –
excusez les mots – scheten als een hond. Ik herinner me
dat ik bij mezelf zei dat als ze het nog een keer zou doen,
ik haar zou vermoorden. En ze deed het weer. Toen pakte
ik het pistool en schoot haar dood zoals je een gewond
paard doodschiet. Het was voor ons allemaal het beste als
ze heen zou gaan. Maar ik wist niet wat ik met het
lichaam aan moest. Gelukkig kwam Jean die nacht thuis,
omdat hij in het hotel niet kon slapen. De volgende nacht
zorgden we dat we van haar afkwamen. We dachten dat de
kous daarmee af was. Pas toen haar lijk opdook, begrepen
we dat het niet lang zou duren voordat de politie ons op
het spoor zou komen. Op dat moment vertrok Jean naar
het buitenland. We waren het erover eens geworden dat
hij de moord op zich zou nemen, mocht dat actueel
worden. Ik was immers in verwachting van zijn kind.
Ik ging ermee akkoord, omdat ik steeds bleef denken
dat we ons wel zouden redden. Dat deden we niet en
nu kan ik niet accepteren dat hij voor de rest van zijn
leven in de gevangenis zal zitten, als ík degene ben die

schuldig is. Ik heb haar vermoord, en dat mag dan wel gebeurd zijn, maar ik kan niet ook een einde maken aan de man van wie ik hou.'

Ze had zonder onderbreking gepraat, maar niet alsof ze het gerepeteerd had, eerder alsof haar hersenen goed geformuleerde zinnen produceerden met dezelfde vanzelfsprekendheid als waarmee haar handen haar cello hanteerden.

Kristina had dat vaak opgemerkt. Veel musici hebben een overweldigend grote verbale aanleg. Haar moeder had dat ook. De woorden kwamen als een stortvloed uit haar mond.

'Dus je bedoelt dat je haar in koelen bloede vermoordde?'

Anja moest lachen. 'Ik had zoals gezegd veertig graden koorts.'

Kristina stond op en liep een rondje over de veranda. Ze keek naar de ontluikende tuin, naar het spiegelende water tussen de eilanden in de verte, achter de kerk waar Natasha in hetzelfde graf als haar zus was begraven. Daar aan dat water zat Aljosa nu te vissen. Het leven ging verder, onbewust, onschuldig. Het was wreed en ontroerend tegelijk.

'Waar denk je aan?'

Kristina gaf niet meteen antwoord. Ze deed een paar stappen in de richting van Anja en keek haar in de ogen.

'Kun je me een goede reden geven waarom ik jouw verhaal zou geloven?'

'Ik neem aan dat het jouw taak is om niet te geloven wat anderen zeggen!' Anja's stem klonk kil.

'Nee, dat is niet zo. Ik wil je graag geloven en ik wil net

zo graag Jean Olivelöf geloven. Het probleem is dat ik jullie niet allebei tegelijk kan geloven.'

'Ik begrijp het. Ik had alleen gedacht dat jij als vrouw een andere vrouw zou vertrouwen. Daarom wilde ik met je praten.'

'Maar geef me een paar details, zeg iets wat jouw verhaal kan bevestigen.'

'Zoals wat bijvoorbeeld?'

'Ja... laten we zeggen... wat voor kleren droeg ze?'

Anja dacht na. 'Ze had een bontjas aan, maar daaronder droeg ze alleen een spijkerbroek en een vest.'

Dat klopte, maar dat kon Jean Olivelöf haar hebben verteld.

'Hoeveel schoten loste je?'

'Vier!'

'Maar er waren maar drie schotwonden.'

'Ik miste één keer.'

'Je miste, ook al lag ze roerloos op de bank?'

'Ja. Wat denk je? Ik trilde als een riet. Zal ik je het bewijs laten zien?'

Ze stond op en liep de woonkamer in. Kristina liep achter haar aan. Anja verschoof een leunstoel. Kristina zag dat een stukje van de muur daarachter onlangs was geverfd.

'Hier trof het eerste schot. Het maakte een gaatje, maar Jean heeft het gat opgevuld en ik heb het overgeschilderd.'

'Wat deden jullie met de kogel?'

'Die heb ik in mijn handtas. Ik ging ervan uit dat niemand daarin zou kijken.'

'Haal hem op.'

Anja liep naar de slaapkamer en kwam terug met een

elegante, bruinleren handtas, die ze aan Kristina gaf.

'Nee, dat is niet nodig. Pak de kogel zelf maar.'

Anja opende de tas, stopte haar hand erin, rommelde wat. 'Ik begrijp het niet', zei ze zachtjes.

'Wat is er?'

'Hij zit er niet in.'

'Heeft hij er ooit in gezeten?'

'Waarom zou ik zo'n domme leugen verkopen? Ik had toch kunnen zeggen dat we de kogel hadden weggegooid, ik had van alles kunnen zeggen. Ik had niet hoeven zeggen dat hij in mijn handtas lag.'

Daar zat wat in.

'En het pistool had Natasha bij zich?'

'Ja, ik weet dat ik daar de vorige keer over loog, maar dat klopt, dat had zij bij zich.'

Kristina realiseerde zich dat zij en haar mensen lichtzinnig met het pistool waren omgesprongen. Ze hadden het moeten bewaren. Het leek er nu op dat juist dat van doorslaggevend belang zou zijn als ze de waarheid aan het licht wilden krijgen. Het was duidelijk dat óf Jean Olivelöf óf Anja von Löwenmüller loog. Als de officier van justitie niet met grote zekerheid kon bewijzen wie de vier schoten had gelost, dan was er een grote kans dat ze allebei vrijuit zouden gaan. Op dit moment was het het woord van de een tegen dat van de ander. Rechter Anders Berlin zou niet willen tossen om wie de waarheid sprak. Als hij het niet honderd procent zeker wist, zou hij beiden vrijspreken, ook als het overduidelijk was dat een van hen schuldig was.

Maar de rechtvaardigheid werkt niet met statistische berekeningen, zij werkt met aantoonbare feiten. Het kon daarom van belang zijn te weten van wie het pistool was. Ze kon Östen vragen om dat uit te zoeken.

'Je begrijpt dat je naar het bureau moet komen om een officiële verklaring af te leggen. Kun je vandaag komen?'

'Geef me een paar dagen. Ik moet mijn advocaat spreken.'

'Heb je hem nog niet gesproken?'

'Nee, ik heb alleen Jeans advocaat, Fredrik von Axeltoft, gesproken.'

'Ik neem aan dat die verheugd was?'

'Nee, juist niet. Jean is immers vastbesloten om het spel tot het einde toe te spelen en hij heeft hem er vast van weten te overtuigen dat hij schuldig is.'

'Wie is jouw advocaat dan?'

'Heléna Rysling.'

'O!'

'Is daar iets mis mee?'

'Is zij niet getrouwd met Axeltoft?'

'Ja, en ze is bovendien een achternichtje van me.'

'Maar dan is ze wraakbaar.'

'Zijn alle advocaten dat niet? En bovendien, wat maakt het uit? Ik neem haar niet in de arm om haar te laten bewijzen dat ik onschuldig ben, maar om te bewijzen dat ik schuldig ben.'

'Maar Fredrik von Axeltoft doet precies hetzelfde in opdracht van Jean.'

'Ja, is dat niet ironisch? We nemen twee van de meest vooraanstaande advocaten in de arm om te bewijzen dat we schuldig zijn.'

'Ja, dat is zeker ironisch. Maar het kan zijn dat de rechtbank bezwaar maakt. Ik zou dat in ieder geval wel doen.'

'Als ik in jouw schoenen stond, zou ik dat ook doen.'

Juist op dat moment schopte de kleine in Anja's buik duidelijk opnieuw, het leek er bijna op dat er een hele voetbalfinale in haar buik werd uitgevochten. Ze stond moeizaam op.

'Ik geloof dat ik me moet excuseren. Ik moet even gaan liggen.'

'Natuurlijk!'

Anja stak haar hand uit ten afscheid. 'Bedankt dat je wilde komen.'

Kristina zag haar smalle, mooie vingers. Ze leken er niet op gebouwd om een vuurwapen te hanteren. Maar een politievrouw mag zo niet denken. Alle handen, zelfs de mooiste, kunnen een leven doven. Ze aarzelde een fractie van een seconde, maar toen schudde ze de uitgestoken hand. Ze was geneigd te geloven dat Anja alles had verzonnen, vermoedelijk op aanraden van de geslepen Heléna Rysling, maar helemaal overtuigd was ze niet.

Of ze er iets aan kon doen, viel nog te bezien. Maar één ding wist ze wel: officier van justitie Mitsuko zou niet blij worden wanneer ze dit nieuws zou horen.

50

Net als veel andere jonge officieren van justitie droomde Mitsuko ervan om een zware en gecompliceerde zaak te mogen doen. Hier lag haar kans. Een vrouw was dood. Een man werd op goede gronden verdacht van moord en zat vast, zijn verloofde beweerde dat zij aan het misdrijf schuldig was. Zij moest boven alle twijfel aannemelijk maken dat ze de juiste persoon vervolgde, het risico bestond dat ze anders allebei vrijuit zouden gaan. Ze voelde een hartstochtelijke drang om juridisch geschiedenis te schrijven, om een precedent te scheppen dat voor altijd in de cursusboeken zou komen te staan.

Ze had de logica nooit begrepen om beiden vrij te spreken als men niet kon bewijzen wie van beiden schuldig was. Het was een epidemie aan het worden, een juridisch virus dat aanstekelijk werkte en de laatste tijd hadden meerdere misdadigers zich eruit gered door elkaar de schuld in de schoenen te schuiven.

Het kan natuurlijk moeilijk zijn om te bewijzen wie de dodelijke slag heeft toegebracht, het is vaak moeilijk om erachter te komen welke slag nou juist dodelijk was.

Nu waren er in plaats daarvan twee personen die ieder voor zich schuldig beweerden te zijn. Vanuit juridisch oogpunt was de situatie echter gelijk. Je kunt niet twee personen veroordelen voor dezelfde misdaad.

Hier zag Mitsuko haar kans om hoog spel te spelen. Ze was bereid om vanuit het tegenovergestelde uitgangspunt te beredeneren, namelijk dat beiden hadden verklaard onschuldig te zijn. Wie zou men in dat geval geloven? Als ze bovendien kon bewijzen wie het pistool had gekocht en waar, dan bestond de mogelijkheid dat ze gehoor zou krijgen voor haar standpunt: de een aanklagen voor moord en de ander voor medeplichtigheid aan moord en voor meineed.

'Ga je een arrestatiebevel uitvaardigen?'

'Nee, helemaal niet. Waar zou ik dat op moeten baseren? Een informeel gesprek met jou? Dat ze ieder moment kan veranderen? Nee, dank je! Laat haar maar even in de rats zitten. Laat haar maar vrij zijn. Misschien begaat ze een misstap en kunnen we haar bluf ontmaskeren.'

'Hoe kun je zo overtuigd zijn dat het bluf is?'

Mitsuko schudde haar hoofd. 'Je moet een verliefde vrouw nooit geloven.'

'Maar verliefde mannen kun je wel geloven?'

'Ik geloof niet dat Jean Olivelöf ooit op iemand anders verliefd is geweest dan op Jean Olivelöf. Dat was overduidelijk te zien tijdens de voorgeleiding gisteren. Die man is net zo gevoelig als een strijkijzer.'

'En waar komt zijn talent dan vandaan?'

'Dat talent is niets anders dan een beschadiging in de hersenen. Dat heeft niets met zijn karakter te maken en daar heb ik het over, niet over zijn muzikaliteit. Hij is een begaafde psychopaat, dat is helemaal niet ongebruikelijk. En het is ook niet ongebruikelijk dat vrouwen voor dat soort mannen vallen en alles voor hen overhebben.'

'Ik denk dat je Anja onderschat.'

'En ik denk dat jij hem overschat!' Mitsuko's antwoord kwam pijlsnel, alsof ze er al langer over had lopen nadenken.

Ze keken elkaar verbaasd aan. Ze waren hard op weg naar een ruzie.

Mitsuko krabbelde als eerste terug. 'Het spijt me. Dat was dom van me... maar weet je, hun tactiek drijft ons nu al uit elkaar.'

Kristina protesteerde. 'Nee, nee. Er zit wel iets in. Hij laat me niet onberoerd. Ik heb hem horen spelen, ik heb gezien hoe hij zich naar een vrouw toe boog en ik heb gewenst dat ik die vrouw mocht zijn. Ik zou deze zaak misschien aan een ander moeten overlaten.'

Mitsuko kwam dichterbij staan. 'Kristina, je hebt fantastisch werk gedaan... Eigenlijk geloofde niemand dat jullie er iets van zouden kunnen maken... en het kon niemand ook echt iets schelen... een buitenlandse vrouw en al dat gedoe over te weinig mankracht en zo... Maar jullie hebben de zaak opgelost... jullie hebben de schuldige te pakken gekregen... Laat de rest nu aan ons over... de rechtvaardigheid is niet jouw probleem... dat is het probleem van mij en van de rechters. Als jij er alleen nog voor zorgt dat pistool te achterhalen... laat iemand anders dat doen en ga zelf op vakantie... dan blijft deze hele discussie tussen ons.'

Kristina keek haar in de ogen. 'Nee. De rechtvaardigheid is niet alleen het probleem van jou en de rechters. Het is ook mijn probleem. Zonder waarheid geen rechtvaardigheid. We moeten de waarheid achterhalen, ook de waarheid over onszelf. Hij laat mij misschien niet onberoerd en daardoor zie ik de dingen misschien niet helemaal helder, maar het feit dat jij niet van hem onder de indruk bent, betekent nog niet dat jij de dingen helderder ziet. Feiten, we hebben feiten nodig, zoals Berlin pleegt te zeggen.'

'Zoals je wilt.' Mitsuko klonk wat nors.

'Nee... niet zoals ik wil, maar zoals ik moet!'

Dat zei haar vader altijd toen ze klein was en geen zin had om haar huiswerk te maken. 'Als we alleen maar zouden doen waar we zin in hadden, dan zouden onze armen drie meter lang zijn en hadden we een mond als de

Lummelundagrot op Gotland', beweerde de leraar Latijn en hij maakte haar aan het lachen door zich als een gorilla op de borst te slaan.

Mitsuko had haar tas gepakt en stond op het punt om te gaan. 'Vergeet alleen niet dat we aan dezelfde kant staan.' Ze glimlachte voorzichtig en liep weg.

Ja, welke kant is dat? De onfeilbaren tegenover zij die gefaald hebben? De rechtvaardigen tegenover de onrechtvaardigen?

Kristina bleef in haar stoel zitten. Aan de andere kant van het raam werden de schaduwen langer. De moeheid kroop dichterbij als een aanhalig jong poesje. Ze masseerde afwezig haar nek, die stijf en gespannen aanvoelde. Ze had een leven dat moest worden geleefd en ze had geen flauw idee hoe ze dat zou moeten doen. Het leek wel of de kamer wazig werd en toen ze in haar ogen wreef, ontdekte ze dat er tranen in stonden zo groot als pruimen.

51

Östen concentreerde zich op het in kaart brengen van Natasha's contacten in Stockholm. Hij nam aan dat ze hier aan het wapen was gekomen, het was niet aannemelijk dat ze het uit Estland had meegenomen.

De eenvoudigste schakel om mee te beginnen was haar drugsdealer. Het was niet zeker of ze direct van de straat kocht, maar de drugsscene in Stockholm was ondanks

alles ook weer niet zo groot, als je de amateurs niet mee-
rekende die op zaterdagavond een lijntje cocaïne snoven
op het toilet van de trendy uitgaansgelegenheden in de
stad.

De grootverbruikers zijn een heel ander verhaal, ze zijn
bekend bij de meeste dealers, en wat de meeste dealers
weten, dat weet de narcoticabrigade ook. Daarom belde hij
zijn collega Markus Mörner, die daar werkte, en vroeg of
hij wel eens iets gehoord had over een zekere Natasha
Filippovna.

'Wel eens iets gehoord? Ze is een legende! Waarom
vraag je dat? Heeft ze iets gedaan?'

'Nee, ze kan niets meer doen.'

'O shit!'

'Ik vroeg me ook af of je misschien informatie hebt over
haar dealer.'

Ook hierop kreeg hij direct antwoord. 'Dat is Kostia
Malenkov.'

'Die naam heb ik eerder gehoord.'

'Hij heeft een zaak hier vlakbij, Import-Export, weet je
wel.'

'Hij verkoopt ook plastic zakken, klopt dat?'

'Inderdaad.'

'Hoe komt het dat jullie hem nog niet in zijn kraag
hebben gegrepen?'

'Hij is zo glad als glijmiddel. Laat de publieke werk-
zaamheden zogezegd aan anderen over. Hij telt alleen de
poen.'

'Oké. Dank je wel.'

Hij legde op en liep bij Maria binnen. Ze zat aan haar
bureau te schrijven.

'Stoor ik?'

'Ja, maar dat doe je veel te weinig!'

Hij lachte verlegen. Ze had haar woordje eerder klaar dan hij, als het erop aankwam was ze sneller dan de meeste anderen. Ze zou als geen ander Eva Trollén de mond kunnen snoeren. Wanneer zou hij ophouden aan haar te denken?

'Östen, weet je?' Hij keek haar aan. 'Jij bent de enige ter wereld die me het gevoel kan geven dat ik het ben die iets van jou moet, ook al is het net andersom. Dus als je het niet erg vindt, dan zou ik graag willen weten wat er is.'

'Sorry! Ik heb de laatste tijd veel te veel aan mijn hoofd. Ja, ik ga zo op weg naar Kostia Malenkov en vroeg me af of je zin hebt om mee te gaan. Je hebt hem immers al eerder ontmoet. Maar als het niet uitkomt...'

'Natuurlijk ga ik mee. Ik zat alleen maar wat aan mijn oma te schrijven. Ik denk dat ik in de vakantie naar haar toe ga. Wat zijn jouw plannen?'

'Waarschijnlijk wordt het weer Fårö, als ik mijn zomerhuisje ooit af wil krijgen.'

'Weet je dat ik nog nooit op Fårö ben geweest?'

'Je kunt een keer langskomen.'

'Die woorden zal ik in mijn heilige boek noteren.'

'Heb jij ook een heilig boek?'

'Heb jij dat?'

'De Bijbel.'

'De Bijbel?'

'Als ik me rot voel, lees ik altijd een stukje in de Bijbel. Het is het enige boek dat ik ken waarin alles een betekenis heeft. Ik vind dat wat er in boeken staat, meestal óf helemaal niets óf iets anders betekent.'

'Ik wist niet dat je zoveel las.'

'In de labyrinten van de eenzaamheid ben je altijd een beetje minder eenzaam met een boek in je handen', zei Östen, alsof hij iemand citeerde.

Maria pakte haar spullen en ze liepen naar beneden naar de auto.

'Wie rijdt er?'

Hij keek naar haar opgetrokken wenkbrauwen waaronder haar ogen onuitstaanbaar vroom keken. Hij stak zijn middelvinger naar haar op. Zij zou rijden.

De dagen waren warmer geworden en deze middag leek in zijn zwembroek rond te lopen. Het was vast al meer dan 25 graden. Binnenkort zou er worden geklaagd dat het te warm was, nadat er de hele lente was geklaagd dat het te koud was.

Maria had haar beide handen aan het stuur, zoals vrouwen zo vaak deden, en het gaf haar een heel zedige houding, als een schooljuffrouw op excursie. Östen glimlachte in zichzelf en zakte weg in een soort afstandelijk bekijken van de omgeving, die hij overigens kende als zijn broekzak. Het slachthuisgebied wist echter altijd weer zijn fantasie te prikkelen, terwijl het stadion De Globe het tegenovergestelde effect had. Dat markeerde in de stad de grens van de fantasie.

Kostia Malenkov was niet blij hen te zien, maar wat kon hij eraan doen?

Östen verzekerde hem dat hij zich nergens ongerust over hoefde te maken, ze zaten niet achter hem aan, ze wilden alleen wat informatie hebben en zouden hem dankbaar zijn als hij wilde meewerken.

'Waar kan ik mee van dienst zijn?' Als het moest zou hij

zelfs zijn moeder verkopen om met rust gelaten te worden.

'We vroegen ons af of je een zekere Natasha Filippovna kende.'

'Hoezo kende? Wat is er gebeurd?'

'Je hoeft alleen maar antwoord te geven', zei Maria snel.

'Ja, ik "kende" haar.'

'Gebruikte ze drugs?'

'Ja, wel wat. Niet meer dan anderen.'

'Wie verkocht die aan haar?'

Malenkov deed een stap achteruit. 'Dat weet ik niet.'

'Maar wij wel. Dat deed jij. Maar dat is nu, zoals gezegd, niet van belang. Hoe goed kenden jullie elkaar? Was ze alleen maar een klant, of was er meer tussen jullie?'

Östen wist dat hij zich op glad ijs begaf. Malenkov kon ieder moment om een advocaat gaan roepen. Maar dat deed hij niet.

'Ja... we zijn een paar keer met elkaar naar bed geweest.'

'Wist je dat ze een ander had?'

'Wie heeft dat niet?' bracht Malenkov ertegen in. 'Ja, ik wist het wel, maar ik wist niet wie hij was.'

'Het was diegene die de plastic zakken van je kocht. Die man met die "sterke ogen" zoals je de vorige keer zei, en in jouw plastic zakken is ze dood aangetroffen. Je kunt ons dus maar beter helpen, want nu gaan we een belangrijke vraag stellen.' Östens blik kreeg iets roodpaars.

Malenkov boog lichtjes om aan te geven dat hij tot hun beschikking stond.

'Heb je Natasha Filippovna ooit met een pistool rond zien lopen? Heb je haar ooit horen zeggen dat ze een pistool had?'

Malenkov schudde zijn hoofd alsof hij zichzelf verwijten maakte. 'Ik wist het.'

'Wat wist je?'

'Ik wist dat dat verdomde pistool problemen zou gaan opleveren. Ze had tegen me gezegd dat ze het nodig had, omdat ze 's avonds daar buiten de stad waar ze woonde vaak alleen was en ik geloofde haar. Dus verkocht ik haar een pistool.'

'Wat voor soort?' vroeg Maria snel.

'Een Walther PP, precies zo een als jullie hebben.'

'Waar haalde je die vandaan?'

'Ik kocht hem.'

'Waar?'

'In Zwitserland, in Basel om precies te zijn.'

'En je nam hem mee hiernaartoe? Hoe?'

Malenkov grinnikte. 'De Zweedse douane is zo lek als een mandje.'

'Kun je ons een naam of adres geven om je verhaal te bevestigen?'

'Natuurlijk. Jullie kunnen de wapenhandelaar bellen. Ik heb het nummer nog. Dat moet hier ergens tussen liggen.' Hij rommelde wat in een la totdat hij een heel klein adresboekje vond.

'Heinrich Blum, Werdstrasse 66.'

'En zijn telefoonnummer?'

'00941-03 242 53 69.'

Maria maakte een aantekening.

'En dan nog iets. Ik weet dat je je daar niet mee bezighoudt, maar weet je misschien of Natasha Filippovna meespeelde in pornofilms?'

Deze keer reageerde Malenkov heel energiek. 'Geen sprake van!'

'Hoe kun je daar zo zeker van zijn?'

'Omdat ze een koningin was. Ze gebruikte drugs en dronk en vree in rondjes...'

'Wat bedoel je daarmee?'

'Ze had, zeg maar, veel mannen...'

'Je bedoelt dat ze een slag in de rondte neukte?'

'Ja, inderdaad... maar niemand zou het in zijn hoofd halen om haar zoiets te vragen. Bovendien...'

'Wat?'

'Tallinn is een kleine stad, eigenlijk een soort dorp, en de Russische gemeenschap nog kleiner. Ze zou zich er nooit meer durven laten zien, begrijp je... haar moeder leefde nog, ze zorgde voor haar neefje. Nee, zoiets zou ze nooit doen. Niemand zou dat van haar gedaan krijgen.'

'Niet eens Goran Selinevits?' vroeg Maria.

'Nee, zelfs hij niet. Maar als iemand het zou proberen, dan hij wel.'

Maria kreeg een nieuw idee. 'Kende je haar zus?'

Malenkov spreidde zijn armen. 'Wat denk je?'

'Ook zij werd vermoord.'

'Ik las het in de krant. Dat is nu al lang geleden.'

'Ik vroeg me alleen af of je er iets over had gehoord', hield ze vol.

'Nee.'

'Kijk eens aan. Dan zit het scheren er voor vandaag weer op', zei Östen, die tijdens zijn jeugd op Fårö honderden schapen had geschoren.

Toen ze weer in de auto zaten, kon hij het niet laten. Hij gaf Maria een stevige omhelzing.

'God, wat is het soms ook makkelijk.'

Zij was iets nuchterder. 'Het was te makkelijk. Hij gaf

antwoord op onze vragen om andere vragen uit de weg te gaan. Had jij die indruk niet?'

'Natuurlijk, hij heeft heel wat te verbergen. Maar dat hoeft niets met onze zaak te maken te hebben.'

Op dat punt was ze het niet met hem eens. 'Dat heeft heel veel met onze zaak te maken. Want als hij de waarheid vertelt, dan betekent dat dat Jean Olivelöf liegt. En als die liegt, dan is hij onschuldig. Hij zei toch dat hij haar betrapte tijdens een porno-opname. Maar als Malenkov liegt, dan...'

'Dan ziet het er niet zo best uit voor mooie Anja.'

'Precies.'

Ze startte de auto en reed langzaam naar de autoweg.

'Te bedenken dat de rechtvaardigheid een rouwdouw als Malenkov nodig heeft', filosofeerde Östen.

'De chef zal in ieder geval blij zijn!'

'Hoe bedoel je?'

'Zij is voor zijn praatjes gevallen.' Maria was nijdig.

'Je overdrijft.'

'Je hebt geen flauw idee hoeveel praatjes een vrouw nodig heeft!'

Daar had hij niet van terug. Ondanks alles was zij op dit gebied de expert en ze had een teer plekje bij hem getroffen. 'Je zegt nooit iets!' Dat zei Eva vaak. Nee, als hij niets te zeggen had, dan zei hij liever niets. Hij had nooit begrepen hoe belangrijk het was om te praten juist als je niets te zeggen had.

Maria onderbrak zijn gedachten. 'Ik vind dat we maar eens een bezoekje moeten brengen aan onze vriend Selinevits.'

Östen was het daar niet mee eens. 'Ik vind dat we eerst

276

rapport aan onze mooie chef moeten uitbrengen!'

'Nee, ongelofelijk, alle vrouwen die je tegenkomt zijn mooi, behalve ik!'

Het moment was daar. Nu zou hij op de proef worden gesteld. Nu was het van belang te reageren, ook al had hij niets te zeggen.

'Maria... jij bent zo lief dat men je met botten en al zou kunnen opeten!'

Maria gooide haar hoofd achterover en lachte opgelucht. 'Dat zou mijn oma waarderen!'

52

Wapenhandelaar Heinrich Blum bevestigde dat hij een Walther PP had verkocht aan iemand die zich Kostia Ljubov noemde, maar hij herinnerde zich geen Malenkov.

Het Duits van Kristina was dankzij haar vader bijna perfect. 'Zou u deze Ljubov of Malenkov herkennen als u hem weer zou zien, mijnheer Blum?'

'Absoluut.'

'Hoe kunt u daar zo zeker van zijn? U moet in de loop der jaren duizenden klanten voorbij hebben zien komen.'

'Dat is juist, en ik beroem mij erop dat ik mij ieder van hen herinner.'

'Hoezo?'

Hij grinnikte tevreden. 'Ik beroem mij er niet op dat ik het perfecte mnemotechnische systeem heb uitgevonden, maar ik ben slim genoeg om er gebruik van te maken. Die eigenschap is typisch voor ons, Zwitsers. We hebben nooit iets uitgevonden, maar we benutten veel uitvindingen wel. We hebben het geld niet uitgevonden, maar we hebben de grootste banken. We hebben de klok niet uitgevonden, maar we zijn de grootste producenten. We hebben de sneeuw niet uitgevonden, maar we hebben de beste pistes ter wereld. De lijst is nog veel langer te maken.

Ik fotografeer de klanten gewoon. Ze worden gefotografeerd door discrete camera's, zoals we ze hier in Zwitserland noemen, in ieder geval in mijn kanton. Hier hebben we het niet over geheime of verborgen camera's. Dat laten we over aan de Amerikanen. Zodra ze mijn winkel binnenstappen, worden ze vereeuwigd.'

Hier pauzeerde hij even om haar de mogelijkheid te geven om te lachen. Maar hij had geen uren de tijd.

'Bovendien was deze man een ongewoon type. Hij sprak Engels met een onuitstaanbaar accent en bestelde verder een insteekloop, die hij een week later ophaalde, omdat dergelijke dingen alleen door bijzonder gespecialiseerde technici worden gemaakt.'

'Een insteekloop?'

'Ja, zodat er van andere ammunitie gebruik kan worden gemaakt.'

'Dank u wel, mijnheer Blum. U hebt ons bijzonder geholpen.'

'Dat doet mij deugd.'

Nu had ze een verklaring waarom de gevonden kogel een andere spoed dan het pistool had. De moordenaar had een insteekloop gebruikt, maar zo'n geval hadden ze niet gevonden. Dus moest de moordenaar die na het schieten hebben verwijderd.

Hier had ze mogelijk de strikvraag gevonden. Als Anja had geschoten, moest zij het zijn geweest die de insteekloop had verwijderd. Ze moest er dan vanaf weten. Als ze dat niet deed, dan loog ze. Of nee, toch niet. Jean zou hem kunnen hebben weggehaald voor hij het wapen verborg. Maar ze had gezegd dat zij het verstopt had. Hij had de insteekloop later alsnog kunnen verwijderen.

Het was niet waterdicht. Het was niet doorslaggevend, zou Mitsuko zeggen. Ook Malenkovs uitspraak dat Natasha Filippovna niet in pornofilms speelde, was niet doorslaggevend. Dat ze dat tot dan toe niet had gedaan, bewees nog niet dat ze de nacht dat ze was vermoord daar niet mee bezig was geweest, of dat ze gewoonweg een video-seance voor eigen gebruik had georganiseerd.

Ze was in de war gebracht. In het begin had ze, meer dan wat dan ook, zo snel mogelijk de dader te pakken willen krijgen. Toen ze hem te pakken kreeg, wilde ze dat hij het niet zou zijn. En nu wilde hem tegemoetkomen in zijn wens het wel te zijn.

Het gaat erom een bekentenis te respecteren. Het probleem was alleen dat ze twee bekentenissen had te respecteren. Maar Mitsuko had gelijk, het was niet haar probleem, wat onverlet liet dat zij vond dat het dat wel was.

Er moest een manier zijn om de waarheid aan het licht te brengen. Want wat voor plezier heb je ervan, als je haar niet aan het licht kunt krijgen? Ligt het niet in de natuur van de waarheid dat ze uiteindelijk wordt geopenbaard?

Ja, uiteindelijk. Maar zij was politievrouw, de eeuwigheid werd niet beschouwd als een van de parameters in haar werk. Ze moest nú achter de waarheid komen.

Als deze zaak zich enkele honderden jaren geleden had voorgedaan, zou men het probleem hebben opgelost door beide betrokkenen aan een reeks proeven te onderwerpen, zowel mentaal als fysiek, van opsluiting in isolement tot branden op de brandstapel. Men ging ervan uit dat de uithouder de waarheid sprak. Wie niet door het vuur werd verslonden, zat met de waarheid achter slot en grendel. Maar waren er die niet door het vuur werden verslonden?

De moderne autodafe bestond erin de schuld van de ander op je te nemen, wat inhield dat degene die het hardnekkigst loog, uiteindelijk werd beschouwd als degene die de waarheid sprak.

Er was maar één manier om het probleem te omzeilen: Aljosa. Hij had 'papa boem-boem, mama au-au' gezegd. Wanneer was dat gebeurd? Wat bedoelde hij?

Nadat Anja haar getuigenis ook formeel had afgelegd, dat wil zeggen haar bekentenis, was de jongen in een Zweedse familie geplaatst, die de zorg voor hem op zich nam en erop toezag dat hij regelmatig voor therapie naar een vrouwelijke psycholoog ging die veel ervaring had met kinderen met ernstige stoornissen.

Kristina keek op de klok. Het was kwart voor twaalf. Als ze geluk had, zou ze tijdens de lunchpauze misschien kort met de psycholoog kunnen praten. Ze belde meteen op en stuitte natuurlijk op een antwoordapparaat.

'U bent verbonden met de praktijk van Marie Lönngren. Ik kan op dit moment de telefoon helaas niet opnemen, maar als u uw naam en telefoonnummer inspreekt, bel ik u zo snel mogelijk terug.' Het was een warme, enigszins omfloerste stem.

Kristina liet haar naam en telefoonnummer achter en

gaf kort aan waarom ze belde voor ze weer oplegde.

Een kwartier later werd ze gebeld door Marie Lönngren.

'Hebt u tijdens uw lunchpauze misschien even tijd voor me?' vroeg Kristina.

'Ja, natuurlijk. Ik hoop alleen dat u er geen bezwaar tegen hebt een wandeling te maken, want dat doe ik gewoonlijk tijdens mijn lunchpauze aangezien ik een paar kilo moet zien kwijt te raken.'

'Uitstekend. Dat moet ik ook.'

'Mooi. Dan zien we elkaar over een kwartiertje aan de voeten van Karl xii in Kungsträdgården. Haalt u dat?'

'Ik vertrek nu meteen.'

'Mooi. Dan kunnen we naar de waarheid op zoek gaan, terwijl we van de gelegenheid gebruikmaken om een paar ons kwijt te raken.'

Marie Lönngren was een mooie vrouw van een jaar of veertig, vijfenveertig, die absoluut niet hoefde af te vallen en die, met een poncho over haar schouders, al stond te wachten. Kristina had meteen een zwak voor haar vrolijke oogopslag, die duidelijk contrasteerde met een diepe frons op haar voorhoofd, vermoedelijk een beroepskwaal.

Ik vraag me af welke beroepskwalen God zich op de hals haalt, dacht ze terwijl ze elkaar een hand gaven.

Ze zetten koers naar het eilandje Skeppsholmen. Toen ze de brug over waren, koos Marie Lönngren ervoor rechtsom te lopen, langs de grote eik.

'Ik hou van deze boom.' Haar intimiteit wees erop dat ze Kristina's gezelschap aangenaam vond.

'Waarom?'

'Vreemd. Jullie van de politie en wij, psychologen, stellen hetzelfde soort vragen. Waarom? Geloof je echt dat mensen over het algemeen weten waarom ze doen wat ze doen? Afgaande op mijn ervaring, zou ik zeggen dat het precies omgekeerd is. De reflectie komt meestal na de handeling. Wat voor de handeling uit gaat, zijn verborgen behoeften, onnoembare impulsen, vergeten herinneringen. Hier, kijk eens,' uit haar handtas pakte ze een eikeltje, of eigenlijk de ene helft van een tweelingeikeltje, 'ik bewaar dit al tien jaar. En ergens op de wereld loopt een man rond van wie ik hoop dat hij de andere helft heeft bewaard. Hij wilde met me trouwen, maar ik wilde niet. Waarom? Dat wist ik toen niet. Nu denk ik dat ik zou zeggen dat ik te veel van hem hield om met hem te trouwen. Dat klinkt tenminste ergens naar. Gaandeweg heb ik het grootste verlies in mijn leven omgebogen tot een wijs besluit. Ons bewustzijn werkt op dezelfde manier als de zijderupsen. We pakken een heel dunne draad en mettertijd bouwen we er een huis van waarin we, met al onze leugens intact, kunnen leven.'

Terwijl ze praatte, hield ze een stevig tempo aan en inhaleerde ondertussen diepe, haast gulzige trekken van een sigaret, maar nu stond ze stil.

'Sorry, je wilde over Aljosa praten. Goed, wat wil je weten?'

Kristina had het gevoel gemanipuleerd te worden, maar had geen tijd om zich erin te verdiepen. 'Ja... ik wilde alleen weten hoe je zijn toestand beoordeelt en daarom...'

'Hij heeft nog een lange weg te gaan, en als je erover denkt om hem te verhoren, dat kun je vergeten. Daar zal ik nooit toestemming voor geven. En al helemaal niet dat jullie hem als getuige gebruiken.'

'Feit is dat hij op dit moment de enige is die ons kan helpen.'

'Daar heb ik begrip voor, maar hij zou het niet aan-kunnen. Het risico dat hij nog dieper in zijn psychose wegzinkt is te groot. Geen waarheid en geen rechtvaardig-heid ter wereld zijn die prijs waard. We moeten geen kind opofferen om een moordenaar te pakken te krijgen. Jullie zullen het op een andere manier moeten oplossen.'

Kristina glimlachte verontschuldigend. 'Er is geen andere manier, naar het zich laat aanzien.'

'Dan zal er een moordenaar vrijuit gaan.'

'Is dat dan rechtvaardig?'

'Nee, maar het is rechtvaardiger dan een kind de prijs te laten betalen voor de daden van een ander.'

'De rechtvaardigheid zou niet in een percentage uitge-drukt moeten worden', zei Kristina toegeeflijk.

'In een perfecte wereld zou dat ook niet zo zijn. Maar in onze wereld heeft ze geen andere mogelijkheid.'

'Dus de beste Leibniz had ongelijk. We leven niet in de best denkbare wereld.'

'Misschien doen we dat wel. Maar dat betekent niet dat de best denkbare wereld een perfecte wereld is. Dit! Dit is perfect. Maar dat is dan ook het enige.' Marie Lönngren liet haar helft van het tweelingeikeltje zien.

'Voor een eikeltje is het misschien niet zo moeilijk om perfect te zijn.'

'Dat bedoelde ik niet. Ik bedoelde het verdriet waar het voor staat. Dat is perfect. Dat zal nooit worden beproefd, nooit in twijfel worden getrokken. Hier was het dat ik die man voor het laatst zag. Het besluit was genomen. Onze wegen zouden zich scheiden. We stonden onder deze eik, hij pakte een eikeltje op. Het bleek een tweelingeikeltje te zijn. Hij gaf de ene helft aan mij en hield zelf de andere.

Daarna gingen we uit elkaar.'

Marie Lönngren probeerde een nieuwe sigaret aan te steken. Vanaf het Mälaren woei een stevige wind en er gingen drie lucifers doorheen, zonder resultaat.

Ze zuchtte. 'Hij was er een meester in om in de wind een sigaret aan te steken.'

Het was tijd om terug te lopen.

'Waarom heb je me dit allemaal verteld?'

Marie Lönngren moest hartelijk lachen. 'Alweer een waarom! Maar hoe zou je anders begrijpen en respecteren dat ik over Aljosa vind wat ik vind? Bovendien had ik er veel behoefte aan om vandaag over die man te praten, omdat het zijn verjaardag is.'

Die reden was natuurlijk net zo goed als elke andere. Ze gingen uiteen met het behaaglijke gevoel dat ze elkaar uit een onbekend gevaar hadden gered.

53

Het was zo eenvoudig. Dat ze er niet aan had gedacht, kon bijna worden aangerekend als plichtsverzuim.

Onderweg terug naar het bureau stopte ze bij de McDonald's om even iets naar binnen te werken. En dus stond ze nu in de rij, achter een oma die met drie springende kleinkinderen in het kielzog de verschillende bestellingen probeerde te verzamelen, terwijl de medewerker, een jonge, donkerharige man, een professioneel geduld en een beminnelijke gelatenheid aan de dag legde.

Op dat moment kwam ze erop.

Anja von Löwenmüller had gezegd dat Natasha Filippovna toen ze werd vermoord, niet meer in het landhuis van Jean Olivelöf woonde. Hij had het daarentegen met geen woord daarover gehad, maar juist beweerd dat Natasha in zijn huis bezig was een pornofilm in te spelen.

Ze werd vreselijk kwaad op zichzelf, vergat haar honger en reed zo snel als maar was toegestaan naar het cellencomplex in Flemingsberg.

Met wie zou ze het eerst praten? Olivelöf of Anja?

Je begint niet met degene die liegt en op dit moment dacht ze dat Olivelöf had gelogen, hij had Natasha niet doodgeschoten. Hij had Anja geholpen om van het lijk af te komen. Anja kon natuurlijk ook liegen over hoe alles in zijn werk was gegaan, maar ze kon niet hebben gelogen dat Natasha in een appartement op Ekerö woonde.

Kristina was van plan met haar te beginnen. Ze zou haar alleen vragen naar het adres van dat appartement, verder niets.

Nee, dat was dom. Het was beter om in plaats daarvan Olivelöf te verrassen, gewoon zijn cel binnen te stappen en hem doodkalm naar Natasha Filippovna's adres te vragen. Ja, dat zou ze doen.

Jean Olivelöf was bleek en ongeschoren. Kristina kreeg de indruk dat ze hem niet zou kunnen verrassen. Dat deed ze dan ook niet. Integendeel. Hij was het die haar verraste.

'Ik wist dat u er uiteindelijk achter zou komen. Natasha zei altijd dat de leugen met korte beentjes rent. Een Russisch spreekwoord. De waarheid is dat Anja haar doodschoot. Maar het is ook waar dat het mijn fout was. Want ik had nog steeds afspraakjes met Natasha. Ik hield van Anja, maar Natasha was deel gaan uitmaken van mijn bloedsomloop. Ik kon haar niet kwijtraken. Toen Anja erachter kwam, ging ze helemaal door het lint. Toen ik in Örebro zat, nodigde ze Natasha thuis uit, om de situatie uit te praten. Ik weet niet wat er tussen hen beiden is voorgevallen, maar toen ik die nacht thuiskwam, lag Natasha op de vloer. Ze bloedde verschrikkelijk, maar ademde nog wel. Toen ik me over haar heen boog, glimlachte ze naar me en fluisterde iets tegen me.'

'Wat?'

'Ik verstond het niet. Ze was al dood. Het waren haar laatste woorden. En ik verstond ze niet. Ik moet verder leven met haar laatste woorden die ik nooit heb verstaan. Hoe dan ook. Anja was hysterisch en ik was gedwongen me eerst over haar te ontfermen en daarna over het lijk. Op dat moment kwam Aljosa de kamer in. Hij woonde bij ons. Natasha wilde hem niet bij zich hebben in haar kleine appartement op de Gustavavägen. Ze wilde vrij zijn, zei ze. Ik vond het niet zo'n probleem. Ik mag de jongen heel erg graag. Hij is begaafd, erg begaafd, meer dan ik ooit ben geweest. Daarna werden we het erover eens, Anja en ik, dat ik de schuld op me zou nemen, als het ooit zou uitkomen. Ik vond het niet zo'n probleem die belofte te doen. Zoals ik al zei, heb ik steeds gevonden dat alles mijn schuld was. Wat maakt het uit wie het schot heeft gelost?'

'Voor ons maakt het uit', zei Kristina.

'Voor jullie, ja. Maar voor u persoonlijk? Ziet u niet het verschil tussen de werkelijke schuld en de toevallige? Anja is geen moordenaar, zelfs niet nu ze iemand heeft doodgeschoten. Ik daarentegen... ik ben een moordenaar! Ik heb mijn talent vermoord, ik heb mijn ziel vermoord.'

'Laten we hopen dat de rechtbank begrip toont voor uw opvattingen. Ik ben niet degene die u zal veroordelen. Maar ik ben dankbaar dat u mij uiteindelijk de waarheid laat weten. Geen tragedie is voltooid voordat de waarheid aan het licht komt. Ik wil u ook zeggen dat ik bewondering heb voor vrouwen die strijd voeren voor hun liefde.'

'Hoe zal het voor ons aflopen, denkt u?'

'Ik denk dat de officier van justitie voor Anja de nodige verzachtende omstandigheden zal vinden en geen enkele voor u.'

Hij schudde zijn hoofd. 'Ik hoop het ook.'

Kristina stak haar hand uit ten afscheid. Het was de enige manier die ze kon bedenken om hem aan te raken. Daarna liep ze snel weg.

54

Anja von Löwenmüller werd veroordeeld wegens doodslag en Jean Olivelöf wegens medeplichtigheid aan dat misdrijf. Zij kreeg twee jaar, die ze zou doorbrengen in een open inrichting en hij kreeg twaalf maanden in een gesloten inrichting. Zij werd ook veroordeeld tot het betalen van vijfentwintigduizend kronen schadevergoeding aan Aljosa.

De kranten schreven het nodige over deze merkwaardige liefdesgeschiedenis, met name Hole-in-one, die met veel inlevingsvermogen twee portretten van de veroor-deelden schreef.

Maria ging op vakantie naar Sardinië en daarvandaan schreef ze naar haar man dat ze wilde scheiden.

Östen ging naar Fårö, waar hij verderging met het repareren van zijn huisje. Maria had geen tijd om langs te komen. Dat had Eva Trollén daarentegen wel en zij besloot uiteindelijk om bij haar man weg te gaan.

Thomas was de hele zomer weg. Eerst naar Hongarije en daarna naar de scherenkust bij Västervik. Zijn zoon was enorm vooruitgegaan.

Hoofdinspecteur Vendel ging nergens heen. Ze nam alleen twee weken vakantie om haar man te helpen verhuizen naar een somber appartementje in Hägersten. Zijn nieuwe vlam had hem zojuist verlaten en Kristina had dat al tijden geleden gedaan.

Verder maakte ze lange wandelingen, soms alleen en soms samen met haar vader, die vond dat het tijd werd dat ze serieus Latijn ging leren.

'Papa, wat moet ik nou met een dode taal?'

'Je hebt geen flauw benul van de hoeveelheid geheimen die in een taal verborgen zit. Bovendien zul je een veel betere politievrouw worden, want het moeilijkste van het Latijn is om te leren het onderwerp en het lijdend voorwerp in een zin te vinden, precies zoals in een misdrijf.'

En alsof ze een klein kind was, trok de oude man haar gekscherend aan haar oor.